新潮文庫

パニック・裸の王様

開高　健著

新潮社版

1394

目次

パニック・裸の王様

パニック

一

飼育室にはさまざまな小動物の発散するつよい匂《にお》いがただよっていた。その熱い悪臭はコンクリートの床や壁からにじみでて、部屋そのものがくさって呼吸をしているような気がした。いくつもの飼育箱は金網やガラス戸がはめられ、鍵《かぎ》がかけられてあったが、動物の尿は箱からもれて床いちめんに流れていた。入口からさした光線と人間の気配に動物たちはいっせいにざわめきだした。どの箱でもとじこめられたけもののたてる足音や金網をひっ搔《か》く爪音《つめおと》がさわがしく起った。

「餌《えさ》不足でね、連中飢えてるんでサ」

俊介と課長のさきに立った飼育係が説明した。彼は手にネズミの入った金網の籠《かご》をさげていたので、けものたちは彼が箱の前を通ると金網の内側をいそがしく走りまわった。どのけものもやせこけてけわしい体つきをしている。毛は汚物でぬれ、かたまって針のようにとがっていた。そして、たいてい体のどこかに赤い傷口をもっていた。山でワナにおちたとき、鋼線が食いこんだのである。彼らはせまい箱のなかをせわしく往復し、鼻を鳴らし、金網に前足をかけてネズミの籠を見送った。

「よくなれてるんだね」

課長はキツネが猫のように媚《こ》びたしぐさで首を金網にすりつけるのを見て、ものめずらしげにつぶやいた。

イタチの箱の前まで来て俊介は立ちどまった。彼は課長に説明した。

「こいつは、まだ山から来たばかりで、なれていないんですよ。猜疑心《さいぎしん》の深い奴《やつ》でね、人の足音がしただけでかくれてしまいます」

箱の床には砂がしかれ、糞《ふん》がいくつもころがっていた。砂には小さな足跡がいちめんについていたが、居住者の姿はなかった。

「どこにいるんだい？」

「巣箱にかくれてるんです。ネズミでおびきだしてみましょう」

彼は飼育係の男に籠のネズミを五匹とも全部箱のなかへ入れるようにいいつけた。そして、窓のブラインドをおろして電燈を消すようにと指示した。

「奴は気むずかし屋で、おぜんだてがうるさいんでサ」

飼育係は課長に説明しながら、ネズミを一匹ずつ籠からつまみだして砂の上においた。ネズミは小きざみにふるえつつ小さな顔をおしつけて砂の匂いをかいだ。早くも恐怖を察したのか、彼らはよちよちと箱の隅に行くと、五匹ともかたまって動こうとしなくなった。俊介は課長に声をかけた。

「少し離れていましょう」

「人間の匂いがしてもいいのかい？」

「腹がへってるから、それぐらいはあきらめているでしょう。暗くしてやればでて来ますよ」

彼は課長をさそって箱から離れると、窓ぎわにならんで立った。

飼育係が窓の蔽《おお》いをおろして電燈を消すと、部屋のなかはまっ暗になった。ふいに夜の野の気配が室内にみなぎり、あちらこちらでけもののさわぐ物音が聞えた。いくつものやわらかい足が暗がりを駈《か》け、木がむしられたり、牙《きば》の鳴ったりする音が闇を占めた。

電燈を消して三分とたたないうちに、とつぜん身近の暗がりを小さな足音が走った。それは非常な速度で砂を蹴《け》って駈け、ほとんど体重というものを感じさせなかった。それにつづいてするどい悲鳴と牙音が起ったが、さわぎはまたたく間に終ってしまった。俊介は満足感をおぼえて、小さく息をついた。

課長が耳もとでささやいた。

箱に消えた。

「やったナ」

「……そうらしいですね」

飼育係は有能な男だった。ネズミの悲鳴がやんだところですかさず電燈のスイッチを入れたので、いままさに餌をくわえてとぼうとしていたイタチの全身がそのまま明るみにさらけだされた。まるい、小さい頭を起して彼は部屋の隅にたたずむ二人の男を発見した。つぎの瞬間、砂の上を黄いろい炎がかすめた。音もなくイタチの姿は巣箱に消えた。

「たいした早業だ、みなごろしじゃないか！」

箱に近づいてなかをのぞきこんだ課長が感嘆の声をあげた。

ネズミは四匹しかのこっていなかったが、いずれも白い歯を見せ、足をちぢめてころがっていた。砂には二、三滴の血がこぼれているが、どこに傷があるのか、まったくわからなかった。ゼンマイのこわれた灰色のおもちゃといった様子で殺されている。

これはいつもの手だ。この優美な残酷さには山で何度もお目にかかったことがある。その身ごなしのしなやかさについては忘れられぬ記憶がある。去年の秋、俊介は高原のササ原で一匹のイタチに出会ったことがある。ふだんは用心深い夜行性のこのけものが、そのときはなにを思ったのか、白日の下に全身をさらして、広い野原を飛ぶように走っていた。倒木をとびこえ、草むらにもぐり、まるで小さな火のようにキラめきつつ、彼の姿は見る見る視界のかなたに消えていった。見わたしたところ、空にも野にも、彼を襲う敵の姿はないようだったし、彼のさきを走る獲物の影も見当らなかった。俊介には習性に反したその行動の原因がつかめなかったが、何日ものむだな調査旅行に疲れていた彼は、目的もなく全速力で疾走するこのけものにある友情と新鮮な緊張感をおぼえて、いつまでも後姿を見送ったものだった。それからというものは、イタチを見れば、きまってこのササ原の孤独な走者を思いだす。

飼育係は砂の上にころがったネズミをひろい集めると、一匹ずつほかの箱の動物に配った。ネズミはたちまちかみくだかれ、腸がはみだし、肉はボロぎれとなってしまった。

「イタチの奴、食わんじゃないか」

課長が不平そうにつぶやいた。

「人声がするんで、警戒しているんでしょう」

俊介は課長に説明して箱の前を離れた。二、三歩行くと、はたして背後でひそやかに骨のくだける音がした。立ちどまるとその音は消え、歩きだすとふたたびはじまった。イタチの狷介《けんかい》さに俊介は微笑をうかべた。

（……いつまでつづくかな）

彼は声をかけようとしてなにげなく課長をふりかえったが、そのまま顔をもどして口をつぐんだ。課長は髪の薄くなった頭を掻き、小指の長い爪にたまったあぶらをはじくことにこころを奪われている様子だった。イタチもやがて飼育係の足音で金網のなかを糞まみれになって走りまわるようになるだろう。飼育室を出るとき、ふと俊介は日頃なじみ深い倦怠《けんたい》の軽い死臭がもどって来るのを感じた。

部屋にもどると土曜の午後なので、もう誰ものこっていなかった。机には地方の派出所から来た日報がのっていた。三つの県の各地方からのものだが、二、三日来の大雪で汽車がとまったために日附のおくれたのもまじっていた。どの報告書にもたいしたことは記されていない。どうせ派出員は山番や炭焼人から聞いた噂話《うわさばなし》をそのまま書きこむのだろう。彼は壁に張った県の地図と日報を照合してところどころの村に赤鉛筆で印をつけた。照合を終って課長のところへ持ってゆくと、ろくに読みもしないで判をおされた。いつものことだ。もどろうとすると呼びとめられた。課長は胃がわるいのでひどく口が匂う。出入業者に招待された宴会の翌朝など、まるでどぶからあがったばかりのような息をしていることがある。生温かく甘酸《あまず》っぱい匂いだ。口だけでなく、手や首すじからもその匂いはにじみ出てくるようだ。白眼の部分にある黄いろくにごった縞《しま》を見ると、いつも、この男はくさりかけているなと思わせられる。

課長は俊介にむかって、机のひきだしから厚い書類綴《つづ》りをだし、軽く投げてよこした。

「君の企画書だ。ずっと前に局長室からもどったんだが、そのままになっていたので返すよ」

課長は背広の襟から爪楊枝《つまようじ》をぬきとり、たんねんに歯をせせりながら俊介に説明した。

「前の課長も君の企画を会議に出すことは出したらしいがね、山持ちの県会議員に一《いっ》蹴《しゅう》されたらしいよ。これは局長も文句をいえやしない。長いものには巻かれろってこったネ」

課長は楊枝のさきについた血をちびちびなめた。俊介は息のかからないように机から体をひき、相手の不潔なしぐさをだまって眺めた。課長はひとしきり歯の掃除をすませると、眼をあげ、日報の綴りをちらりとふりかえってたずねた。

「ネズミのこと、なにか出ているかい?」

「べつに、なにも……」

課長はめんどうげに彼の手から日報をとると、パラパラ二、三枚はぐった。

「特記事項ナシ、例年ト大差ナシか。君の予想とはずいぶんちがうようだな」

「……なにしろ雪ですからね。冬はネズミの動きはめだたないものなんです」

課長は彼の答えに不満らしく頭をふった。

「君、日報は局長室まで行くんだよ。いくらササ原を焼けといったって、現実になにも起っていなかったら、焼こうにも焼きようがないじゃないか。局長だって納得しないのがあたりまえだよ」

俊介はこのあたりでちょっと抵抗してみせるのも手だと思ったので、

「おっしゃるとおりですが、起ってからではおそすぎるんじゃないかとも思ったもんですから」

といった。すると相手はすぐ餌にとびついて来た。課長は回転椅子《いす》に背を投げると、俊介の顔をちらりと眺めた。その眼には満足そうな軽蔑《けいべつ》のいろがはっきりでていた。

課長はきめつけるようにいった。

「当てずっぽで役所仕事ができると思うかね。前例もないのに、君の突飛な空想だけで山は焼けないよ。君の企画はお先走りというやつだ。気持はよくわかるがね」

俊介はその言葉で、いままで自分がどういうふうに見られていたか、あらためて知ったような気がした。彼は発明狂や易者とおなじ種類の人間と考えられていたのだ。

「局長はね、こういうんだ」

課長は両手を組んで机におき、俊介を見あげた。眼からは軽蔑が消え、まがいものの真剣さがのぞいていた。

「……つまり、ネズミは毎年春になるとわくものなんだ。たとえ君が心配しているほどではないにしてもね。それで、一度イタチを山に放してみたらどうかということなんだ。こいつは生きものだからほっておいても繁殖する。毎年補給しなくってもいいから大助かりだよ」

俊介は髪の網目をとおして課長の頭の地肌を眺めた。皮膚はよくあぶらがのって血色がよいが、骨は固くて厚そうだ。その薄暗い内部を小さなけものが黄いろい炎をひいてとんでいるのだ。どんな言葉もそのヒラめきを消すことはできないだろうと俊介は思った。こんなところで争ってもはじまらない。それに、いまはもうすべてが手おくれの段階に来ているのだ。見方を変えると、なにに手をだしてもだしすぎるということのない情勢である。たとえ一匹のイタチでもないよりはましだ。俊介は方向を変えて課長の説を歓迎することにした。

「おっしゃるとおりです。イタチというのはいい考えですよ。あれはネズミとみれば片っぱしから殺してしまいますからね。食う食わんは二のつぎとして、とにかく見つけ次第に殺してしまうんです。小さな島ならイタチを放すだけで完全にネズミ退治ができます」

課長はだまって聞いていたが、話が終ると気持よさそうに小指で頭を掻き、満足げに机をたたいた。

「わかった。あさっての月曜、対策会議を開こう。春になったら、すぐイタチを買い集めるんだ。君、至急、動物業者の名簿を作ってくれ。それから、新聞社と放送局に電話だ。猟友会にもね」

「どうするんです？」

「わからんかね……」

課長は眉《まゆ》をあげ、回転椅子にそりかえった。

「禁猟の指令を流すのさ。イタチだけじゃない。ヘビでもモズでもとにかくネズミをとる動物は全部禁猟ということにして、密猟した奴は厳重処分、つまりイタチの皮の闇値の十倍ぐらいの罰金をかけるんだ。それで万事解決だよ、君」

そういって立ちあがりしなに課長は軽く俊介の肩をたたいた。すっかり得意になっているらしかった。俊介はばかばかしさのあまり手の書類を思わずたたきつけたくなるような衝動を感じたが、なんとかやりすごして表情にださぬよう、顔を窓の方にそむけた。窓外の前庭には雪がつもり、踏み固められてコンクリートのように光っていた。人影はなかったが、ちょうどそのとき一台の高級乗用車がすべりこんで来て、するどくきしみながら氷の上にとまった。待ちかねたように課長が鞄《かばん》を持って椅子から立ちあがった。

「じゃあ、君、お先に失敬するよ」

とっさに俊介は書類を抱えたまま飛んでゆくと、課長のために部屋の扉をひらいてやった。相手が小走りに通りすぎかけたとき、とつぜん俊介は相手の足をすくってみたい誘惑を感じて、声をかけた。

「課長、『つた家』ですか？」

これは不意打ちだったらしい。ぎくっとしてふりかえった課長の眼にはうろたえた表情がでていた。それはすぐに狡猾《こうかつ》そうな薄笑いに変った。俊介は胸のポケットになにかがおしこまれるのを感じ、おなじような薄笑いを頬にうかべた。

「……部外秘だよ」

小声で顔をよせて来た課長の眼には、もう取引をすませたんだというつめたい傲慢《ごうまん》さがあるようだった。相手の口臭をさけるために俊介は頬に薄笑いをうかべたまま、すばやく顔をそむけた。課長は踵《きびす》をかえすと廊下を去っていった。今度は一度もふりかえらなかった。しばらくして前庭の方で自動車のスタートする音が聞えた。俊介は胸ポケットにおしこまれたものをとりだした。それは禁制の船来煙草《たばこ》で、まだ封が切ってなかった。赤いセロファンのテープをむしりながら、俊介はちょっとみじめな気分になった。

(安く見られたな。七〇点)

煙草さえなければもっと点数を増してもいいところだが、さいごに小賢《こざか》しげに相手の弱点をつくような真似《まね》をしたのはやっぱりまずかったようだ。煙草一箱ぐらいでこちらの刃を相手に感じさせたのは三〇点のマイナスでも甘いくらいだ。あれは局長専用の自動車である。官紀刷新ということで今月から公用の場合をのぞいて乗用車の使用は局長待遇以上の人間にかぎるということになっているのだ。おそらく課長は家へ帰るために呼んだのではあるまい。わざわざ土曜の午後になって飼育室でイタチを観察したり、部下を呼びつけてネズミの話をしてみたり、要するにこちらは車を待つ間の時間つぶしのだしに使われたにすぎないのだ。

俊介ははっきりと腐敗の進行を感ずる。県庁新築にまつわる収賄《しゅうわい》事件が起ったのはつい三ヵ月ほど前のことである。課長が資材課の椅子を追われて山林課に移って来たのもその事件のためだが、べつに馘首《かくしゅ》もされず左遷《させん》だけですんだのは事件の規模が大きすぎたためだった。その人事異動は対外的な見せかけにすぎまい。知事は事件の中心近くにいた彼を処分して事件が公表されることを恐れたのだ。その事件の複雑さには検察庁も新聞も音をあげてしまい、結果的に見ると要領の悪い四、五人の平課員が摘発されるだけで終ってしまったのだが、大きな犯罪のつねとして、おそらくそれは氷山の一角にすぎないのだろう。現にこうして課長が土曜の午後おそくまで人気のない部屋にのこって局長の車をさしむけさせたりしているところを見れば、疑いは深まるばかりである。

俊介はコルクを巻いたキング・サイズのアメリカ煙草をふかしながら部屋にもどった。ストーブの火が消えかけていたので火掻棒《ひかきぼう》で灰を落し、石炭をたっぷり投げこんだ。自分の机の前に立って、彼はやっと一年ぶりで手にもどって来た企画書の頁《ページ》をところどころはぐり読みした。それぞれ二、三行ずつ眼を通しただけで彼はすぐ書類を閉じ、ちょっと考えてから、あたりに人影のないのを見すまして、いきなり力まかせにそれを机にたたきつけた。

二

去年の秋のことである。この地方ではササがいっせいに花をひらいて実をむすんだ。

一八三六年（天保七年）以来、きっちり一二〇年ぶりに起った現象である。どういうふうにしてこのみすぼらしい植物が一世紀余の年月を一年とたがえず記憶しているのか、それはまったくわかっていないのだが、とにかく因果律の歯車は正確にまわったのである。どれほど焼いても刈っても根絶することのできないこのガンのようにしぶとい植物も法則には呆《あき》れるほど従順だった。秋になると、春の予想が完全に裏書きされたのを見ることができた。川原、湖岸、山林地区、高原など、約五万町歩にもおよぶ広大な面積のササというササが、それこそ一本の例外もなく枯死してしまったのである。

精密な植物図鑑を繰ればわかることだが、ササは救荒植物の一つということになっている。根や葉は食用にならないが、一二〇年ぶりにみのったその実には小麦とおなじほどの栄養価がある。事実、前の周期年の天保七年は破滅的な凶作だったので、農民たちがササの実でかろうじて飢えをしのいだという記録がのこされているくらいだ。この記憶はその後短絡されて、ササのみのる年は不作年というように誤り伝えられた。そのため、去年俊介がおとずれたとき、農民のなかでも幾人かの老人たちはその年が凶作ではあるまいかと心配していたが、事実は近年まれなほどの豊作であった。ササと稲には何の関係もないのである。たわわにみのったササの実は誰一人収穫する者もないままに秋の野を厚く蔽《おお》った。これが恐慌《きょうこう》の種子をばらまいたのである。

この地方の野外に住む、あらゆる種類の野ネズミがササの実をめざして集まって来たのだ。彼らはそれまで人間におびえながら暮していた田や畑や林などからいっせいに移動した。扉を全開された食料庫に侵入したのである。夜にならないと行動を開始しない、その灰色の軍隊はハタネズミ、アカネズミ、ヒメネズミなど、平常から野外に住む種族のほかに、ふだん人家や溝《みぞ》にしかいないドブネズミまでを含んでいた。これは異常なことである。動物の生活圏《テリトリー》は眼に見えない城や壁や境界標によって種族ごとに区切られ、領土は固く守られるのがふつうの場合である。ある地方では、一軒の家の屋根裏に住むネズミと床下や溝に住むネズミとで、もう種族のちがってくることがあるくらいなのだ。ところが、俊介は標高一二〇〇メートルの高原でドブネズミを何匹も発見することができた。これは厖大《ぼうだい》な食料の出現がネズミの分布地図を書き変えてしまったことを意味しているのである。

どうやらネズミは約束の地を発見したらしかった。彼らは漁網より密なササの根をかきわけて四通八達の坑道を掘りめぐらし、地底に王国を築いた。産室では牝《めす》がひっきりなしに陣痛の悲鳴をあげ、食料室にはゆたかな穀物がはちきれんばかりにたくわえられた。ササは彼らのために天蓋《てんがい》の役を果たしてくれた。深い茂みが彼らのやわらかい背を空のトビやタカなどのするどい眼から守ってくれたし、入り組んだ坑道はへビやイタチをさえぎってくれた。食欲さえ満たされるとほとんど年中といってよいほど間断なく子を生むことのできる彼らはまたたく間におびただしい数に繁殖したのである。

一つの巣穴にたくわえられたササの実は約三升から四升の量になるが、これは決して十分な量とはいえない。なぜなら、彼らは冬ごもりのさなかに雪のしたでも交接して繁殖するからである。一匹の牝が一度に五匹の子を生むとすれば、春までに地下組織のメンバーは秋の五倍の数にふくれあがるわけだ。ふつうネズミの被害は一町歩当り八〇匹の密度が限度とされているのだが、俊介の計算によれば、今年の春は一町歩当り約一五〇匹という数に達するのではないかと思われた。しかも冬ごもりの間にササの実を食いつくした彼らは飢えて見境がつかなくなっているのだ。木をかじるにしてもなまやさしいことではすまないはずだ。彼らの牙《きば》は樹皮から木質部まで、ほとんど素裸にちかく幹を剝《は》いでしまうにちがいない。それは植栽林の五年や六年の若いカラマツにとっては致命傷だ。春の恐慌は決定的である。雪どけとともにネズミは土からあふれ、灰色の洪水となって林になだれこみ、田畑にひろがってゆくことだろう。この牙と胃袋だけの集団、貪婪《どんらん》で盲目的なこの力の行手をはばむものはなにもないのだ。

一匹一匹のネズミはたわいないものである。その行動半径はせいぜい一〇メートルから一五メートルくらいで、三〇メートルも離せば、もう巣穴を見失ってしまうほど無能力な生物なのだ。また、彼らには広場恐怖症ともいうべき衝動がある。たとえば彼らは部屋を横ぎるとき、決して対角線や垂線をコースとして選ぼうとしない。遠道になってもかならず壁にそって走るのだ。溝や穴のなかではあれほど敏捷《びんしょう》な彼らがしばしば広い電車道や交叉点《こうさてん》のまんなかでつぶされてしまうのもこの習性のためである。広い道を横ぎらねばならないという、そのことだけで異常な努力を強いられた彼らは遥《はる》か遠方から近づいて来る電車の音や光や重量を予知しただけで神経がマヒしてしまい、むざむざ脊椎《せきつい》をくだかれる結果となるらしいのだ。

ところが、これほど臆病《おくびょう》で神経質なネズミでも、いったん集団に編入されたとなると、性質はまったく変ってしまうのである。集団のエネルギーは暗く巨大で、狂的でもあれば発作的でもある。オーストラリアの異常発生の記録では野ネズミの大群が一〇キロの平原を一直線に移動して、途中の植物を根こそぎ平らげ、そのまま海につき進んでおぼれ死んだという事実が報告されている。彼らは迂回《うかい》することを忘れ、発生地から正確に一直線を延長した海岸まで来て自滅したのだ。はじめから海岸をめざした行動ではない。海はたまたま行手にあっただけのことなのだ。集団の衝動におし流されて彼らは正常な味覚や嗅覚《きゅうかく》を失い、遥かかなたからでも海の匂《にお》いを死の予感として判断できなかったのである。しかも行軍の途中、死にむかっているとも知らず、牝ネズミたちはせっせと子を生みつつ集団について走っていた。

この狂気の説明はまだついていない。正しい条件において観察すればネズミは臆病で神経質なうえ、手におえないほど多産で、感覚もまたかなり高度に発達した、利口な動物である。一度食った毒ダンゴは二度と食わないという分別もあるし、かじる木の種類もふだんはちゃんと区別している。彼らの美食趣味はどれほど一つの林にまじって生えていても信州カラマツと北海道産カラマツを潔癖に選びだして信州産の木にしか手をつけない。そんな敏感さや神経のゆきとどきが、ただ飢えからのがれるために集団化したというだけでどうして失われてしまうのか。集団のどんな生理が個体の内容を変えてしまうのか。また集団は一匹一匹のネズミの集まりではなく、食料不足のためにたまたま発生した、動物図鑑にかつて掲載されたことのない多頭多足の一匹の巨獣として理解すべきなのか。こうした事柄はあいかわらず未解決なままにのこされているのである。

いずれにしても春の恐慌はさけられないのだ。それはササがみのったときにすでに決定づけられたことである。三つの県の約一万町歩にわたる私有林、官有林はことごとく樹液の動きをやめて枯死してしまうだろう。かりに一町歩当りの植林費を六万円としても、この事件は約六億円の損害である。

晩秋の雑木林を俊介は忘れることができない。落莫《らくばく》の風景美にうたれたのではない。彼がその落葉林で見たものは秋の青空を漉《こ》す枯枝のこまかいレース模様ではなかった。忘れっぽいモズがあちらこちらの枝につき刺した子ネズミの死骸《しがい》に彼は眼を奪われたのだった。それは枯枝になった、時ならぬ灰色の果実であった。おびただしい数のネズミがひからびて点々と木にぶらさがっていた。すでに予想はしていたが、こうした情景を眼《ま》のあたりに見ると、やはり恐慌の進行がひしひしと体に感じられるようだった。

もちろん、しるしはそれだけではすまなかった。高原の村から村へ調査に歩く彼の道はいたるところ徴候に飾りたてられていた。空にはたえずタカやノスリが舞って、ときどきするどく急降下するのが見かけられたし、ササの枯れた茎のあいだで宝石のようにきらめくヘビの姿や、閃光《せんこう》より速いイタチのひらめきもめずらしいことではなかった。湖岸の湿地にはさまざまな小動物の足跡が入り乱れて印されていたし、茂みにはきっとなにかの気配が感じられた。どの動物もネズミを追っているのだが、相手が習性を変えたために、夜行性のけものまでが白日に全身をさらして活動していた。

夜になると、昼間は気配やひらめきにすぎなかったものが、それぞれはっきりと疾走する足音や悲鳴や歯ぎしりなどに変って俊介の耳をそばだたせた。村から村へゆく途中で日が暮れると、彼は雑木林などのかげに携帯の一人用のテントを張って野宿することにしていた。すると、日没時や明方など、とくにネズミが活発に動く頃は騒ぎがひどかった。経験の浅い彼の耳では足音や唸《うな》り声をどのけものはどれとすぐに判別することはできなかったが、イタチ、テン、キツネ、フクロウなど、この地方の山野に住むあらゆる肉食性のけものや鳥が灰色の地下組織の攻撃に参加しているはずだった。どの動物も背に冬を感じているらしい気配がその貪婪な餌《えさ》の追い方に察しられた。パチンコ・ワナにかかったネズミが朝になるとイタチに食いちぎられて首だけしかのこっていないこともあったし、フクロウの羽の音は一晩中そうぞうしかった。一度なぞ、林からとびだして草むらのネズミをつかんだフクロウが林へもどるはずみにテントの支柱にぶつかったことがある。一人用の携帯テントは軽い竹の棒で支えられていた。ぶつかったはずみにフクロウはよろめいて、テントごと俊介の顔の上に落ちかかって来た。俊介は息をつめて身動きしなかった。フクロウの重い、乾いた羽音と、まだ死にきっていないらしいネズミのもらす小さな悲鳴が聞えた。俊介は顔に肉食鳥のするどい爪《つめ》とネズミのもがきを、厚い布ごしに、傷のようにはっきりと感じた。

日を追うにしたがって災厄が土のしたでいよいよ広範囲なものにひろがってゆくことが手にとるようにわかったが、俊介としてはなにひとつ手の打ちようがなかった。夏から秋にかけて、彼は何回となく山へやって来たが、それはいずれも名目出張で、山林課としては彼にただ余った予算を使わせて次年度に少しでも余計な枠をとるその実績稼ぎを命じたにすぎなかったのである。いわば彼は山でただ散歩だけしていてもよかったのである。ネズミは完全に無視されていた。

研究課の学者や技術官たちはすでに去年の春、ササの開花にさきだって一年後の恐慌を予想していた。なにしろ一二〇年ぶりの出来事なので、被害の規模がどれくらいのものになるのか、こまかいことは専門家にもわからなかったが、とにかく例年の域をはるかにこえたものになるだろうというので俊介の勧める山林課に警告が発せられたことは発せられたのである。被害の予想と対策の腹案が持ちこまれたが、平安になれた山林課では事態が見通せず、予算の不足を口実にうやむやにこれを葬《ほうむ》ってしまった。課長会議でも根本的な問題はなにひとつ討議されず、もし予想どおりに恐慌が発生したら、いままでのどれよりも効果のある毒薬をばらまいておさえてしまおうではないかということで、モノフロール醋酸《さくさん》ソーダの使用法や、それに関する衛生法の制限緩和策が検討されたにすぎなかった。

山林課が研究を実行に移さないかぎり、学者たちの報告書はホゴの山になってしまうのである。俊介は課長会議の結果を聞くと、研究課の資料や技官たちからの助言を借りて綿密な対策書を書きあげそれを上申書という形式で直接局長宛《あて》に提出した。対策書の結論はササ原をいくつもの小区分にわけて秋までに焼いてしまうということだった。ササがみのるのを防がないかぎり鼠害《そがい》はさけられないという考えで、彼は三県にまたがる広大なササ原を山火事にならぬようブロックごとに仕切った、くわしい地図までそえて提出したのである。研究課の学者や技官たちは、表面は悲観的でも内心ひそかにこの書類の効果を期待していた。これに反し、作成者の俊介自身は毎夜おそくまで仕事に没頭しながらまったく成果を信じていなかった。

果して、書類を作るのには三週間ちかくもかかったが、ボイコットされるのには三分とかからなかった。局長は自分で眼をとおす前に課長を呼んだのである。課長は俊介がそんな書類を直接局長宛にだしていることをまったく知らされていなかった。俊介は役所仕事の性質や命令の垂直体系ということを計算に入れなかったわけではないが、企画の結論が火急を要しているためと研究課長のつよい要求があったため、わざと課長や部長を無視したのだった。正しい手続をふめば企画が局長室までたどりつくのに何日かかるかわからないし、途中のどこでとまってしまうかもしれない。そのうえ課長会議で自説を蹴《け》られた研究課長は彼をだしにして我意を通そうとあせっていたのである。

課長はにがりきった表情で俊介を呼びつけ、危く局長室で恥をかきそうになった不満をぶちまけた。そして書類をそのまま机のひきだしにほうりこんで鍵《かぎ》をかけてしまった。俊介は自分がピラミッドの底辺に立っていることをそのときあらためて知らされた。

研究課長は彼に事の始末を聞かされると歯がみしてくやしがった。その素朴さに俊介はふと悪意にちかい感情を抱いた。彼はひややかに、しかしあくまでいんぎんに話の終りへつけたした。

「……けれど、こうなることははじめからわかっていたと思うんですが？」

「どうしてだね」

「ぼくだって部下にだしぬかれるのはいやですよ」

相手は思いがけぬ反撃に出会ってたじろいだ。俊介は眼の奥で焦点をむすんだような、いかにも学者めいて澄んだ研究課長の眼を狼狽《ろうばい》の表情がかすめるのを見た。この男は純真だ。自分の手の内を見すかされたと思って恥ずかしがっている、と俊介は思った。

結局、この企画は水に流されてしまい、俊介は課長から反感を、同僚からは軽蔑《けいべつ》を買うこととなった。仲間はササとネズミの関係をおぼろげに知ってはいたものの、誰も積極的に発言しなかった。彼らはその日その日のあたえられた仕事をなんとかごまかすことだけで精いっぱいなのだ。来る日も来る日も、一日はろくにわかりもしない伝票に判コをおすことだけですぎてしまう。そんな生活を酒場で〝ポンポコ人生、クソ人生〟などと自嘲《じちょう》の唄でまぎらしているばかりなのである。はじめ彼らは俊介がべつに命令されたわけでもない仕事に熱を入れるのを酔狂だといって相手にしようとしなかったが、そのうち彼がほんとうに企画書を書きあげて局長宛に提出するのを見ると、にわかにだしぬかれはしないかという不安と嫉妬《しっと》を感じた。俊介は急に課内でけむたがられ、うとんじられた。その疎外《そがい》は、しかし、永つづきしなかった。みごとに彼が失敗したからである。安心した仲間はふたたび友情と、あるやましさのまじった同情を抱いて彼にちかづいて来た。彼らは酒場で気焰《きえん》をあげ、しきりに俊介を弁護して課長の官僚意識をののしったが、俊介自身は意見を求められても薄笑いするばかりで相手になろうとしなかった。

企画が却下されても彼はまったく平静だった。公的な場所でも私的な場所でも、抵抗らしいそぶりや不満の表情を彼はみじんも見せなかった。それどころか、酒を飲むと彼はしきりに課長と握手し、いわれるままに猥歌《わいか》を歌ったり、踊ったりさえした。

「失地回復をあせってやがる」

「老獪《ろうかい》ぶってるんだよ」

「見えすいた懐柔策」

仲間はいろいろなかげ口をきいたが俊介は気にかけなかった。

秋になってから県庁が新築され、大規模な不正が発覚した。そのため人事異動が起って俊介の課でも課長が交替した。新任の課長は不正の火元といわれる資材課から移って来たのだが、山林課の仕事の内容についてはまったくのしろうとだった。その頃ひとびとは醜聞の噂話《うわさばなし》に没頭するか、けんめいに醜聞の噂話を消してまわるかのどちらかで、俊介の企画はますます忘れられる結果となってしまった。新築の庁舎はガラス張りの箱を支柱で地上から持ちあげた、ピロッティ・スタイルの最新設計だったが、そのなかに住む人間の腐臭のためにネズミは一匹も侵入できなかったのである。

俊介は新任の課長に機会があるたびにそれとなく来春の恐慌のことを話してみたが、頭から相手にされなかった。彼がちょっとくわしくイメージを描くと、課長は鼻さきでせせらわらうのだった。

「……そんな、君、エジプトのイナゴじゃあるまいし」

俊介が突飛でお先走りな空想家と思われたのは役所のなかだけではなかった。彼が山を歩きまわって警告を発すると、私有林の持主たちのなかには不動産の誇りを傷つけられて本気で怒る者がでて来たし、老練なはずの山番や炭焼人たちですらネズミの活動を無視して、

「早にえの多い年は雪が早えというなア」

たとえばモズのいけにえの異常なおびただしさも彼らはそんなふうな予想でお茶をにごしてしまうのだった。なるほどササのみのる年にネズミが多いということはよく聞く話だ。しかし、ネズミは多少なりとも毎年わくものなのだ。とくにササがみのったからといって目くじらたてるほどのことはあるまい。いままでこの地方の林はネズミのために被害らしい被害を受けたことなんか、一度だってありはしないのだ。モズのはりつけが多いのはきっと雪が早いために冬の備えをいそいでいるからだろう。彼らはそういって俊介の警告や暗示をはねつけるのだった。

三

冬は意外に暖かった。いつもなら三月の末までいるスキーヤーも中頃にはみんな都

会へ引揚げてしまい、毎日、よく晴れた日がつづいた。雪どけのニュースが新聞にちらほらあらわれはじめたある日、俊介は課長から呼ばれた。イタチを実験してから、かれこれ二ヵ月ほどたっていた。

課長は彼を呼びつけると、だまって一枚の風呂敷《ふろしき》をわたした。あちらこちら穴があいて、ぼろぼろになった風呂敷である。

「なんだと思うかね」

「……？」

彼は答えに困って眼をあげた。すると、いつもは傲慢《ごうまん》な課長の顔に奇妙な困惑の表情がうかんでいた。

「実はね……」

そういいかけて体をのりだした課長はすばやく室内を見わたした。人目をしのぶときだけこの男は精悍《せいかん》になる。俊介はするどく光った相手の眼を見て思った。

「実はね、ネズミが出たんだよ」

課長は顔を近よせて小声でいった。あまりの口臭に俊介は思わず顔をそむけた。そんなことに課長は気がつかず、俊介の耳に生温かい息を吹きこんだ。

「その風呂敷は、昨日、派出所から送って来たんだが、木こりの弁当包みなんだ。うっかり地面において仕事している間にやられたんだそうだ」

「やられた、というと？」

「ネズミさ、ネズミにかじられたんだよ。中身の竹の皮やニギリ飯なんか、跡形もなかったそうだ。木こりは肝をつぶして昼から仕事をやめて村におりたということだ」

課長はそれだけいうと椅子《いす》に背を投げ、にがにがしげに唇をかんだ。

（いよいよ来たな……）

俊介は課長の眼にあるいらだちと混乱の表情を見て、つよい満足感を味わったが、口調はいんぎんにおさえた。

「風呂敷をかじったのは一匹ですか？」

課長は警戒するように俊介の顔をちらりと見たが、すぐ手をよわよわしくふった。

「見当がつかないらしい。とにかくたいへんな数だそうだ。ここに報告書があるから、あとで読み給《たま》え。困ったことになりそうなんだ」

俊介は課長が投げてよこす書類綴《つづ》りを手に受けた。繰ってみると、どの報告書にもそれを送って来た至急便の封筒がついていた。しばらくだまって爪をかんでいた課長は、なにを思いついたのか、ふいに体を起した。その眼からさきほどの混乱の表情が薄れているのを見て俊介は用心ぶかくかまえた。

「君。君は派出所から来る日報を読んでるね？」

「ええ」

「ずっと？」

俊介は言葉を注意して選んだ。

「私のところへ来た分は全部読んでいるつもりです。この報告書は、いまはじめて見せられたので、別ですが……」

課長はあわてて手をふった。

「いや、それは、なにも君を無視したわけではないんだ。それは、べつに、どうでもいいんだが、俺にはわからないことがある」

「なんですか？」

「……つまりだナ、どうしてそれほどネズミがいるのにいままでわからなかったかということだ。ついこないだまで、日報はどれもこれも特記事項ナシばっかりで、なにもネズミのことなんかにふれていなかったじゃないか」

俊介はばからしさのあまり、あいた口のふさがらないような気がした。

「その報告書を読んで見給え。いいかげんなことをいってるぜ、雪がとけてみたら木がまる裸になってたんでびっくりしたなんてトッポイことをヌケヌケ書いている。どうしてそんなことがいままでわからなかったんだ」

課長は目的を発見したので語気するどく、かさにかかった口調でそういった。俊介にはその思わくがすぐのみこめた。この男は早くも責任回避の逃げ道を発見したのだ。予防策をなにひとつ講じなかったくせに、いまとなって事の原因がまるで派出員の怠慢だけにかかっているかのようなものいい方をする。派出員がどれほど熱心に山のなかを歩きまわったところで、雪のためにネズミの音信は完全に断たれていたのだ。かろうじて雪の上にでた木の幹だけがネズミの活動を知らせる唯一《ゆいいつ》のアンテナだったのだ。それに、なによりも問題なのは派出員が幹の咬傷《こうしょう》をどれほどくわしく熱心に調査したところでいまさらどうしようもなかったということである。いっそここでいやがる相手に動物学を講義して真相をすっかりさらけだしてしまうか、それともその場かぎりのいいかげんな同意でお茶をにごすか、あるいはこれを機会に相手の歓心を買うべくはじしらずに媚《こ》びるか。いろいろと手はあると思ったが、事件ははじまったばかりなので、いままでどおり俊介はどっちつかずに黙っていることにした。

彼の表情をどう読んだのか、課長は派出員を攻撃することをやめて、気づかわしげな表情でたずねて来た。

「君、いつか話のあった動物業者には、すぐ連絡がつくようになってるだろうね？」

「イタチですね。だいじょうぶですよ、リストはとっくにでき上っています」

「そりゃありがたい。いずれ、もう少し情勢を見てからと思ってるんだがね」

「結構ですね。ついでにパチンコ・ワナやネコイラズの業者にも当っておきます。これはどうせいるものですからね」

「いいだろう。すぐ見積りをとるようにしてくれ給え」

課長は彼の答えに安心したらしくそういうと服の襟から爪楊枝《つまようじ》をぬきだした。いつもの癖である。この男はいつも食事がすむと、まるで猟師がワナを見て歩くように歯の穴や隙間《すきま》をシラミつぶしに点検しないではいられないのだ。夢中になって歯をせせり、ときどき爪楊枝を鼻さきへもっていって軽く匂《にお》いをかぐようなしぐさをする。しばらくその様子を見ていてから俊介は椅子から立ちあがった。ところどころに掻《か》き傷のついた、髪の薄い相手の頭を見おろして、その内部の暗がりにはたして何匹のネズミがのこっていることだろうかと俊介は思った。

部屋のなかには早春の陽ざしがみなぎっていた。新式の建物の内部にはまるで影というものがなかった。温室のようにあたたかくて、巨大な窓には日光がいっぱいに射《さ》す。血管のすみずみまで透けてしまいそうな明るさである。昼休みなのでみんな前庭へ運動をしにでたらしく、広い室内には人影がなかった。窓ぎわにそって歩きながら俊介は厚いガラスを軽くたたいた。体内にあふれたはげしい満足感と緊張感に彼はつよい酒をあおったあとのような気持になっていた。

たしかに彼の予想は的中したのである。予言はみごとに立証された。その小事件から日がたつにつれて恐慌《きょうこう》の気配は濃くなり、この地方の山林がかつてない危機にさらされていることが誰の眼にもありありとわかって来た。一年前の俊介の言葉をひとびとはあらためて思いだし、ふしょうぶしょうながらも認めざるを得なくなったのである。俊介は自分の地位が急速にひとびとのこころのなかで回復されるのを薄笑いをうかべながら眺めているだけでよかった。

しかし、あとになって考えてみると、このとき課長にわたされた一枚のボロ布ははなはだ象徴的な役目をになっていた。それは冬じゅう雪のしたで歯ぎしりしていたネズミの挑戦状であったが、同時に人間にとっては完全な敗北の白旗にほかならなかったのである。ネズミの蓄積していたエネルギーは予想していたよりはるかに巨大でもあれば残酷でもあった。春は咬傷でずたずたに裂かれ、手のつけようもないほど穴をあけられてしまったのである。

さいしょの徴候があってから十日もたたないうちに山林課は灰色の洪水に首までつ

かってにっちもさっちもならなくなった。山番、炭焼人、百姓、地主、林業組合、木材商、ありとあらゆる人間の訪問と電話と陳情書がおしよせて、応接にいとまがなかった。どの地方でもヒノキ、スギ、カラマツの植栽林は雪に埋もれていた腰から下をすっかり剝《は》がれ、木質部をさらけだして、まるで白骨の林となっていることが発見されたのである。過度の繁殖のために食料不足となったネズミは雪の下で穴からあふれ、手あたり次第に木の幹をかじっていたのだ。雪のために遠くまで餌《えさ》をさがしにでかけられなかった彼らは手近の木に牙《きば》を集中し、芯《しん》まで食ってしまったのである。山林地区の被害は主としてこうした若い植栽林にはげしかったが、早くから雪のとけたふもとの耕作地や田畑では、まいた麦がまったく発芽しないので百姓たちはうろたえた。それは本格的な春になるまでわからなかった。ネズミはもともと夜行性の動物であるから、麦粒がぬすまれていても現場をおさえることができないため、芽をだすまではそれと知れなかったわけである。百姓たちは中心部だけが緑いろになった奇妙な畑と、溝や畦《あぜ》のおびただしいネズミの穴を発見していっせいにさわぎだした。また、どの村でも、倉庫や製粉所や穀物倉にはネズミの先発隊がぞくぞく侵入し、夜の間に畑から村や町へ入ろうとして街道でトラックにつぶされるネズミの数も日ごとに殖える一方だった。山林課では殺到する苦情を処理しきれなくなって、ついに専任の鼠害《そがい》対策委員会を設けることとなり、俊介は日頃の職務をとかれてネズミと全面的に取組むことを命じられた。さっそく彼は特別予算を計上して近県のあらゆる動物業者からイタチやヘビを買い、マークをつけて野山に放した。また、アンツー剤や亜砒酸《あひさん》石灰や燐剤《りんざい》など、手に入るかぎりの殺鼠薬を業者から買い集めて被害地の村に配る計画をたてた。ことに一〇八〇番と呼ばれる猛毒薬、モノフロール醋酸《さくさん》ソーダを大量に用意して、使用制限の法規を緩和すべく知事宛《あて》に特別申請書を提出した。また、薬のゆきわたらない村には、要所要所に深い穴を掘ったり、水を張ったカメを埋めたり、パチンコ・ワナを仕掛けたりするよう、大急ぎでパンフレットを刷って各地に流す手配をととのえた。これらのことを彼はまったく手ぎわよく、そして精力的に運んだので昨春以来彼を非常識な空想家としてしか見ていなかった同僚たちは完全に圧倒されてしまったのである。彼にしてみれば、それは昨年上申書が却下されてから一年ちかい月日の間、研究に研究をかさねた棋譜を公開しただけのことにすぎなかった。冬の間も彼は人目をさけて研究課から資料や文献を借りだしてネズミの習性や毒薬を検討し、地図を眺めて暮していたのである。

……しかし、春の山野にあふれた暗い力は彼の想像をこえて余りあった。ネズミは地下水のようにつぎからつぎと林、畑、川原、湖岸、草むらのあらゆる隙から地表へ流れだして来てとどまるところを知らなかった。地下の王国には飢えのために狂気が発生しかかっているらしく、ネズミの性質は一変していた。彼らは夜となく昼となく林や畑に姿をあらわし、人間の足音がしても逃げようとしなかった。春はまだ浅い。やっと雪がとけたばかりだ。地上には穀物もなく、草も芽をださず、ササの実もすでにない。飢えに迫られた彼らは白昼農家の藁《わら》屋根にかけのぼったり、穀倉で人間の足にとびかかったり、また昼寝している赤ン坊の頬を狙《ねら》ったりなど、あちらこちらで異常な情景を展開しはじめた。

俊介は多頭の怪物ヒドラと闘っているようなものだと思った。ネズミが横行するのは山や畑だけではなく、町までが恐慌にまきこまれてしまったのである。その原因はドブネズミだ。この種族はふつうの年だと夏は野外にいて秋になれば人家へもどってくる。そして春とともにふたたび人家から耕地へ去ってゆき、戸外で越冬する習性はあまり見られないのである。ところが去年の秋は野山にササの実が豊富にあったのと、雪が早かったためとで、彼らはそのまま野外で越冬し、雪どけとともに例年とは逆に食料を求めて人家へ帰って来たらしいのである。彼らが群れをなして町に侵入するところを誰も見たわけではなかった。しかし、おそらく夜の間にぞくぞくと溝や下水管や壁穴から町へ入ったのであろう。町の塵芥《ごみ》捨場や路地の奥やゴミ箱、市場の裏通りなど、いたるところに彼らは姿をあらわして不穏な形勢を示した。

毒薬もイタチもワナもまるで効果がなかった。はじめ対策委員会が設けられて俊介がいろいろの案を発表したとき、ひとびとは活路と希望をあたえられたような気持になったらしいが、日ごとに高まる恐慌の事実とあらゆる努力の無効を知ってからというものは俊介に対して不信と軽蔑《けいべつ》を表明するばかりであった。そして俊介が殺鼠剤を配給するため徹夜でトラックを山にとばしたり、会議の連続でへとへとになったり、陳情人の応接に忙殺されたりしているみじめな有様を見て、同僚のなかには、なぜこんなことになる前に去年の上申書却下のときもっと抵抗しなかったのかというような非難をあからさまに持出す者まででて来た。いつもはどっちつかずの薄笑いで相手を無視してしまう俊介も、これを耳にしたときばかりは、その男を殺したいような憎悪《ぞうお》を感じた。

ある夜、彼は研究課長に誘われて久しぶりに酒場へ行った。ほの暗い灯とやわらかい音楽が徹夜つづきの連日のおびただしい疲労をとかしてくれるようだった。ウォツカを氷片に浸したグラスにはしぶくようなレモンの新鮮な香りが動いていた。彼はその水晶のような酒で心ゆくまで唇を焼き、舌を洗った。課長はハイボールの一杯を飲みおわるまでものをいわなかった。恐慌が発生してからというものはこの男も多忙をきわめ、おなじ建物にいながら二人はろくに顔もあわせる機会がなかったのである。

それぞれ二杯めのグラスが並べられるようになってから二人はやっと口をきいた。

俊介は各地の山林の被害を綿密に説明し、それに対して打った自分の手をのこらず伝えた。彼は二、三日中に小学生や中学生を動員して被害地の林と畑に毒薬をまこうとしていることや、ネズミを捕えた者に賞金を渡す計画なども考えていることをこまかに述べた。

「どの程度利《き》くかわかりませんが、とにかくもう大衆動員しなければ追っつけない状態なんです。なにしろ向うは殺しても殺しても人海戦術でやって来るんですからね」

研究課長は彼の話を聞きながらいちいちうなずいていたが、話がおわると、暫《しばら》く考えてから、

「へんな話だが、ぼくは君を見そこなっていたよ」

と少してれくさげな表情でつぶやいた。

「どうしてですか？」

俊介がたずねると研究課長はグラスをおいて微笑した。

「つまり、ぼくは、去年の上申書の件以来、君がネズミのことをすっかり投げたと思っていたんだよ。だってあのとき、君は全然抵抗しなかったからね。ぼくは君があき

らめたものと思っていた。春になって、いざ予想どおりにネズミがわけば君はそれ見たことかとせせらわらうつもりじゃなかったのか。ぼくはそう感じていたんだ。いやな奴だな、と」

俊介はウォツカを一口すすってから手の内を公開することにした。この男は衰弱した同僚のように彼の無抵抗を非難しているのではない。それに、彼に恐慌の壮大なイメージと暗示をはじめにあたえてくれたのはこの男だし、その後すべての人間に軽蔑され、疎外《そがい》された彼を理解して惜しまず資料を提供してくれたのもこの男だ。一度は彼を利用して自説を通そうとして失敗したが、それはこの男が役所内の村政治、面子《メンツ》の体系を無視したからにすぎない。

「はじめからぼくは投げていませんよ。あの上申書はむだと知りながら、後日のために提出したんです」

彼はウォツカのグラスをあけるとボーイにハイボールを註文《ちゅうもん》しながら研究課長に説明した。

「あれはうちの課長をとびこして直接局長宛にだしたでしょう。課長やら部長やらをたらいまわしされてぐずぐずしておればササはどんどんみのってしまうんですから、そうするより仕方がなかったんですよ。局長は自分で研究するのがめんどうだから課長にやれという。課長は部下にだしぬかれたんでカンカンになる。おまけに話の内容が途方もない幻想だと、こう三拍子そろえば処置なしですよ。いくら抵抗したってむだだからあっさりぼくは右へ回れしたんです」

「しかし、君、そのために君は課長の感情をえらく損ねたろう？　もともとそのかしたのはぼくなんだから、恥をかかしたナとあとですまなく思ったよ」

「けれど現にネズミがわいたんですから、あのときのマイナス二〇点はいまじゃプラス四〇点か六〇点ぐらいにはなっていますよ。ぼくはそう計算したんです。気になることはありません。ぼくは儲《もう》けていますからね。もしあのときもっと抵抗していたらそれを叩《たた》いた方はいまとなると完全に立場がなくなってしまいます。ぼくはますますけむたがられてマイナスばかりになるわけですよ」

「だから黙っていたんだね？」

「そうです。あのときは後のことを考えて最小《ミニマム》のエネルギーで最大《マキシマム》の効果をあげようと思ったんです。つまりミニ・マックス戦術ということになりますかね……」

「ミニ・マックス！　その言葉は君の発明かい」

研究課長が横道にそれてにわかに学者的な興味を抱いたらしいので俊介はハイボールに逃げることにした。これは聞きかじりの推計学用語を勝手に拝借したにすぎないのだ。彼はボーイをつかまえて番茶のように薄いハイボールの文句をいった。どうやら研究課長はその間に新語を詮索《せんさく》することを思いとまったらしかったが、そのかわり俊介は厄介な質問に立ちむかわねばならないこととなった。農学者は三杯めのハイボールにおぼれかかりながらも手をのばして彼の急所にふれたのである。

「ミニ・マックス、うまい言葉だな。最小のエネルギーで最大の効果を、か。沈黙は金なりの新解釈だね」

　農学者はそこで一息つくと腰をすえて食いさがって来た。

「しかし、君。君はどうやら方針をまちがったらしいね。なぜなら、ミニ・マックス戦術というのなら、どうしてネズミがわいても知らん顔をしていなかったのだ。今度の災厄は君がどうジタバタしたってかないっこないんだよ。最大のエネルギーを使って最大の損失になるんだ。これほどむだなことはない。おまけに、上層の奴らはこの事件に手を焼いて責任を全部君にかぶせてくるかもしれないんだ。そこを、君、どう計算しているの？」

「たいくつしのぎですよ」

「……？」

　俊介の答えに農学者はあっけにとられたらしくポカンと口をあけた。厚い眼鏡の奥でまじまじと眼を瞠《みは》っている相手の様子に俊介は後悔した。彼は相手の言葉に好意を感じたし、自分をするどく追いつめたその思考の速度に敬意を抱きもしたので、こんなはぐらし方をすることはいかにもやましい気がした。彼はいそいで言葉をつけたした。

「たいくつしのぎなんです。もちろんぼくは役人ですから自分の地位を高めるためなら他人をだしぬいてでも点数稼ぎをやりたいと思います。ミニ・マックス戦術ということも考えます。しかし、今度のネズミ騒ぎは、それよりなにより倦怠《けんたい》から逃げたくて買って出たことなんです。良心からとは思えないんですよ。それに、おっしゃるとおりこの災厄はぼく一人の手ではどうにもならぬことくらい、誰にもハッキリわかっていることなんですから、たとえ失敗したって、とくにぼくの地位がどうのこうのということはないと思うんですよ」

農学者は彼の話に耳を傾け、慎重にひとつひとつの言葉を考えているようだった。その様子を見て俊介は上申書の件以来この男をただ世間知らずの学究肌の人間としてしか考えなかった自分の浅さを悔いたいような気持になった。おそらく彼のあやふやな説明で相手は納得しないだろう。次に切りこまれたらどう受けようかと彼は逃げ道をあれこれ考えた。はじめから彼は恐慌を力の象徴と考えて来たのだ。災厄は偶発事件ではない。この島国の風土を無視した生命の氾濫《はんらん》現象は一二〇年前から着々と地下に準備され、起るべくして起ったものである。はじめて農学者からササの実とネズミの関係を知らされたとき、彼はそのイメージの正確さに感動し、緊張した。その後山歩きのたびに彼は数式の因数がつぎつぎと出現して項がピタリピタリと満たされてゆく快感をつぶさに味わったのだ。連日連夜、東奔西走してネズミの大群と格闘する。その欲望を支えているものがじつは戦争ごっこのスリル、一種の知的遊戯に近いものであるといったらこの男は満足するだろうか。それよりも、むだと知りながらも組織を通じて怪物と闘って自分の力をじかに味わいたいのだという方が親切だろうか。

「どうしてほんとうのことをいってもらえなかったのかな」

農学者はあきらめたように顔をあげ、おだやかに微笑して不平をつぶやいた。

「ぼくだって君が純粋に社会的良心からやってるんじゃなかろうってことぐらいは認めるよ。たいくつしのぎもある。出世欲もあるだろう。しかし……」

農学者はそこで言葉をきると嘆息した。

「やっぱりぼくにはわからないね。君は無抵抗なのかと思えばそうでもない。積極派かと思えばチャッカリ計算もしている。その点ぼくにはどうも正体がハッキリしないんだな。ぬらりくらりしているくせに非常に清潔なところもあるらしいし、さっぱり本音がつかめないよ」

農学者は投げだしたようにそういうと、苦笑をうかべながら、グラスをさしだした。

俊介は自分のグラスをそれに軽くあて、ウィスキーを舌でころがしながら、なんとなく、

(ひょっとしてこの男なら愛せるかもしれない)

ネズミ騒ぎが終ってから、一度ゆっくり話しあおうと彼は思った。

四

ある日の夕方、俊介は役所からの帰り道で小さな異常を発見した。町のまんなかを流れる川にかかった橋のうえを歩いていて、なにげなく下をのぞきこんだ彼は思わず足をとめてしまった。川岸の泥のうえにおびただしい数のネズミが集まっていたのである。そこには川岸の食堂や料亭の捨てる残飯がうず高く積みかさなり、ネズミがまっ黒になってたかっていた。彼らは大小さまざまで、いずれも我勝ちにおしあいへしあい餌をあさっていた。なかにはまるまる肥《ふと》って猫のように大きなのもいたし、ほんの這《は》いだしたばかりの子ネズミのようなのもいた。猫のようなネズミ、それは料飲街の壁裏に住む特有の種族だ。彼らはみんな下水管を伝ってそこへでて来たのだろうが、そのなかにはきっと飢えに追われて山や野からもどって来た連中もまじっているにち

がいなかった。彼らはちょっと数えきれないほどたくさん集まり、甲高い声で小学校のようにさわぎつつ食事をしていた。橋のうえにはたちまち見物人の山ができたが、ネズミはいっこう逃げる気配を見せなかった。橋をわたってから俊介は舗道のしたに暗い王国を感じた。

ネズミを捕えた者には一匹一〇円の賞金を交付する旨《むね》の布告をだしてから、一週間になる。彼はその攻撃命令を新聞、ラジオを通じて流し、ポスターやチラシにもして三つの県のあらゆる町と村に伝えたのだった。また、激害地区では小学生や中学生を総動員した。子供たちは毒ダンゴを入れたバケツを持ち、一列横隊になって畑を横ぎり、林をかこみ、丘にのぼった。ネズミ穴を見つけ次第にダンゴを投げこむのである。街道にとめたトラックのうえから子供の列がのろのろと野原を進んでゆく光景を見ると、まるでナポレオン時代の戦場を思わせられた。そのときには劇薬一〇八〇剤を使ったので、一夜あけて訪れるとネズミは巣穴の周辺でバタバタ死んでいた。この薬は微量でも神経をたちまちマヒさせるから、ネズミは自分の死体をかくす余裕なくその場でたおれてしまうのである。

町では賞金目あてに狩猟がおこなわれた。ひとびとは争ってパチンコ・ワナや〝千匹捕り〟を買い、壁穴や溝口《みぞぐち》や倉庫などに仕掛けた。捕えられたネズミは交番や区役所に届けられ、日に何回となく集配に来る県庁のトラックに積まれて俊介の課に送りつけられた。俊介らは無数の捕虜にもとの正しい任務をあたえて釈放した。すなわち彼らは大学や病院や衛生試験所に送られて試行錯誤、遺伝学、血清反応などの実験材料となったのである。しかし、こんなゆとりのある状態は四日ほどで終ってしまった。はじめは拝むようにしてもらいに来ていた引取手も、たちまち収容能力が切れて音をあげたのである。電話をかけるとあべこべにどなり返される始末であった。そこでしかたなく俊介は庁舎の裏にある塵芥置場のコンクリート槽を利用することにした。彼は送られてくる捕虜を片っぱしからそのコンクリート槽に投げこみ、床もみえないくらいにたまったところへガソリンを注ぎ、火をつけた。遠くから見ていると、コンクリート槽からは火の柱がたち、すさまじい喧騒《けんそう》がその内部で起った。ときどき必死の力で槽の外へとびだして来るネズミもあったが、火だるまになって一メートルと走らずにたおれてしまった。風の方向で悪臭が庁舎にむかって流れる日もあり、虐殺《ぎゃくさつ》を腕組みしたまま眺めている俊介はあらゆる窓と部屋から罵倒《ばとう》を浴びせられた。はじめは興味を感じて俊介に協力していた連中もネズミがひっきりなしに送られてくるとげんなりして手をひいてしまったので、俊介は一人で黒焦《くろこ》げの死体の始末をしなければならなかった。ときどき研究課長がやって来て炎に包まれたコンクリート槽を見物した。

猛火にうっとり見惚《みと》れている俊介に農学者はいうのだった。

「ちょっとしたアウシュヴィッツだね」

「ええ、ネズミもこうたくさんな数になると殺していても手ごたえがありますよ」

俊介はもうもうとたちこめる悪臭に鼻を蔽《おお》いながら体の底に奇妙な快感をおぼえていた。その快感はおそらく灰色の集団の死活を左右していることから来る権力のよろこびであろうが、体外にひきずりだして明るい春の陽ざしのなかで言葉の枠におしこんでしまえばあっけなさにばからしくなるのではないかと思って彼はそれ以上の説明を加えなかった。

こうして、人間は毎日イタチや猫やタカにまじって攻撃をくりかえしたが、町でも野でもネズミの勢力はいっこうに衰える気配を見せなかった。林を剥《は》ぎ、森を裸かにし、穀倉の壁をやぶった彼らは日ましに兇暴《きょうぼう》となって餌《えさ》をもとめた。一晩のうちに藁《わら》屋根をもぎとられた炭焼小屋や、農家の納屋《なや》に寝かせてあった赤ン坊のノドから血まみれになってとびだした三匹のネズミ、そんなニュースがひきもきらず電話線を流れて来て、俊介には彼らがいよいよ死力をふるいだしたらしいことが手にとるようにわかった。町に侵入した彼らは舗道の下にある四通八達の下水管を占領した。毒薬やパチンコ・ワナもはじめのうちは有効だったが、二度、三度とかさなると彼らの鋭敏な味覚や嗅覚《きゅうかく》が人間の細工を見ぬいてしまい、捕虜や死体の数はだんだん減る一方だった。そして毎日夕方になると川岸では甲高い、不安な笑声が起り、ひとびとに恐怖をあたえるのだった。

ネズミ狩りの布告がいつまでたっても取消されないばかりか、三日か四日めごとにきまって新しいビラが新聞にはさまって玄関に投げこまれたり、町角に鼠害を強調したドラマチックなポスターが登場したりして、いよいよ空気が険悪になるばかりなのを知ると、ひとびとは怪しげな噂《うわさ》をささやきかわした。伝染病の噂である。これは俊介がひそかに恐れていたことだった。ことに一夜で藁屋根を丸裸かにされた農家とネズミに食い殺された幼児の記事が新聞にでると、不安なひとびとのこころにはコレラと発疹《はっしん》チフスが発生し、急速にひろまっていった。新聞や放送を通じていくら事実無根を証明し、デマに対する警告を発してもむだだった。この内的なパニックをおさえるため、県の衛生課はしぶしぶ腰をあげてD・D・Tを戸別訪問して撒布《さんぷ》したり、予防注射をおこなったりしたが、それはすでに病気の存在を公認するようなもので、まったくの逆効果だった。医師たちは誇大妄想《こだいもうそう》におちいった風邪ひきや頭痛持ちや神経痛患者などの応対に音をあげ、衛生課の無能をうらめしげにのろうのだった。患者たちは正しい症状を告げられても満足せず、コレラやチフスなどを言葉のはしに匂わせられるとやっと安心した表情になった。老練な開業医はたちまち熱病患者の大群をつくり出してアスピリンの滞荷を一掃した。

田舎町には桜が咲き、やわらかな春風が日光を絹のように漉《こ》して流れた。しかし、ひとびとのこころのなかにあるパニックの密度は中世の暗黒都市の住人が抱いたのとおなじものだった。役所、銀行、学校、会社、商店、駅、市場通り、いたるところでひとびとは不安な視線をかわしあい、たがいに眼や言葉の裏をさぐりあった。こうして心理現象にかわった自然現象は、ついで政治現象へと発展したのである。

まず叫びだしたのは落選した進歩政党の県会議員候補者である。彼らは伝染病の噂が発生すると待っていましたとばかりに立ちあがり、ひとびとのこころの傾斜をいよいよ急なものにしようと必死の努力をそそいだ。彼らはひとびとに失政を説き、うやむやに葬《ほうむ》られた過去の不正事件の数々をあばきたて、官僚の腐敗をののしり、ピロッティ・スタイルの県庁舎を指さして鼻持ちならぬまやかしの近代主義だときめつけたのである。彼らの一人はその採光のゆきとどいた、輝くようなガラス張り建築物のなかでおこなわれている卑屈で暗い政治を弾劾《だんがい》する材料の一つとして、どこから探りだしたのか、俊介の家へ上申書ボイコット事件のいきさつを聞きにやって来た。そして演説会場のスローガンに「さいごの良心も殺される」という一項をかかげたのである。

俊介はただ彼の計画の内容と、ササの実とネズミの相関関係、それだけを説明したにすぎないのだが、相手は恐慌《きょうこう》の政治的原因を発見して酔ったように喜んだ。こっそり演説会場をのぞきに行った俊介は、自分があまりにけばけばしく激越な讃辞の渦にまきこまれていることを知っていたたまれなかった。壇場で熱弁と唾《つば》を捧《ささ》げられている彼は入れられざる預言者、俗物に葬られた英雄、そして積極的良心の象徴であった。

町角や小学校でひらかれる弾劾演説会は日を追ってはげしくなり数を増した。そしてどの会場も伝染病の心理的パニックにおそわれた聴衆で党派を問わず満員であった。演説者もその盛況ぶりに勇気を得たのか、はじめのうちはただ県政の腐敗追及だけにとどめていた主張をたちまち知事のリコール運動に切りかえたのである。町の電柱や壁や告示板には感嘆符が飾りたてられ、いくつかの新しい人名が氾濫した。そして町が寝静まってからでも革命を要求する若い、はげしい声が辻から辻へ走りまわり、ネズミや細菌とともにひとびとの夢のなかへ侵入していくのだった。放送局に俊介が招かれた夜も一人の青年がスクーターにのって夜の舗道を走っていたが、その声は無人の街路にするどくこだまし、俊介に発声者の清潔な肉体を想像させた。鼠害解説の深夜録音をとるために階段をのぼる彼をその声は壁ごしにどこまでも追って来てはなれなかった。

弾劾と鼠害がほぼ絶頂に達したかと思われる頃、ある日、俊介は思いがけぬ点を稼いだ。一〇八〇剤をトラックで近郷の村へ配給にいった彼がその日の午後おそく県庁へもどると、ちょうど動物業者の送ったイタチが着荷したところで、係員たちがトラックのまわりでいそがしげに立ち働いていた。この敏捷《びんしょう》な動物はあいかわらず無能な人間から過大の期待を背負わせられて、予算のあるかぎり購入される羽目におちいっていた。雪どけ以来、すでに何回となく俊介は野山にイタチを放った。もともと彼らはネズミと見ればたちどころに殺してしまう衝動を持っているのだから、回をかさねるにつれて嫌悪《けんお》されたり抵抗素を増されたりする毒薬よりはずっと有効といえるのだが、被害地区だけで一万町歩、発生地なら五万町歩もあろうかという今度の恐慌の広大さを考えてみれば、俊介としては課長が意気ごむほどの希望を持てないのである。しかし、いかに実際の指導権を彼がにぎっていても、鼠害対策委員長は山林課長なのだし、はじめにイタチの早業を紹介して動かしがたいイメージをうえつけたのは彼なのだから、いやとはいえなかった。

飼育室に運びこまれるイタチの箱をなにげなく見物していた彼はふと一匹の耳を見て、危く声をたてるところだった。彼は人夫に箱をおろさせ、そのイタチをしげしげと観察した。イタチの耳にはまぎれもなくマークがついていた。いそいでほかの箱をしらべるとおなじようなマークのついたイタチは何匹もいた。彼は箱を投げだすと資材課の部屋へ走り、購入伝票を検査した。どの伝票も乱雑な判コでまっ赤になっていたが、日附をしらべて彼はすっかり事情がのみこめた。イタチの伝票はことごとく彼の出張中に発行され、山林課長の承認を得ているのだった。どの伝票にも彼の判はなかった。

彼はだまって伝票と帳簿を資材課員にもどすと、その足で山林課の部屋へいった。運よく廊下の途中で便所からでて来た課長に出会ったので、彼はさりげなく寄っていき、いっしょに肩を並べて歩きながら世間話の間へ探針を入れてみた。

「こないだイタチの野田動物とお飲みになったでしょう?」

意外なくらい相手はやすやすと餌に食いついた。

「うん、ちょっと個人的なつきあいでね」

「あれは気前のいい男ですね。ちょっとむこう見ずなところもありますが……」

課長は唇に針がかかったことにまだ気のつかない様子だった。

「だけど、根はいい男なんだよ」

「どうでしょうかね、その点は。あんなに気前のいい奴は危険じゃないですかな」

課長は立ちどまると顔をあげて俊介の眼を上目づかいにじっと眺めた。あいかわらず胸のわるくなるような口臭だ。顔をそむけて俊介は短剣を相手の心臓に打ちこんだ。

「あの男の出入りをさしとめてください。そうでないと告訴しなければなりません。あいつはわれわれの放したイタチを密猟して、おまけにそれをもう一度売りこみに来ているんです。ね、お会いになったときもむこう見ずな奴だったでしょう？」

課長の眼をはっきりと狼狽《ろうばい》の表情がかすめた。そしてふいに焦点のさだまらぬ顔つきにかわった。それを見て俊介は薄笑いをうかべた。とぼけるつもりだな、と思った彼はつづけて口早に先手を打った。

「私が出張中だったのがまずかったのです。課長は去年山林課においでになったばかりなので、ナメられたんですよ。いま資材課の伝票で見ましたが、市価の三倍で買わされていらっしゃいますね。むかしからあいつの図々《ずうずう》しさは有名なものなんですよ」

言葉を切って彼は横眼で相手の表情をうかがった。勝負はあっけなく終った。はじめから相手は誘導されて供応の事実を吐いてしまったのだから、いまさらどうにも身動きがとれないのだ。県庁新築にからまる不正事件でしたたかな辣腕《らつわん》の噂をたてられたこの男もとうとうワナにかかってしまった。ゴミ捨場でネズミにガソリンをかけるときとおなじ快感を俊介は味わった。

「……しかし、君、それはどうしてわかったんだね？」

ようやく課長はショックから立ちなおると乾いた唇をなめつつささやくような小声でたずねるのだった。ここでもう一度突くと相手は復仇《ふっきゅう》を考える危険がある。俊介は窓ぎわをはなれるとさきに立って歩きながら、軽い口調で相手の質問をやわらかく流した。

「イタチは放す前に耳のうしろを焼いたんですよ。めんどうな仕事ですから、飼育係の奴が全部のこらずやっているかどうかは疑問ですけどね。野田動物が買収していなければいいと思っているんです。ちょうどいま共産党と社会党が共同してリコール運動をやってるでしょう。つまらないことで足をすくわれるのもばかばかしいんですよ」

課長はなにか抵抗するつもりらしく口をあけたが、あきらめたように頭をふってそのまま黙ってしまった。その場ではしおれきった様子に見えたが、まもなく態勢をとりもどし、山林課の部屋に入るときはなに食わぬ顔で爪楊枝《つまようじ》をくわえていた。そのあとで報告書や陳情書を持っていくと、課長は彼を近くへ呼びよせた。

「……今晩、君の体をちょっと借りたいんだがね、川端町の『つた家』へ六時頃に来てくれないか」

追及が少し露骨すぎたかと、いくらか計算しなおすような気持になっていた俊介はその言葉で自分の快感を一挙に是認してしまった。

（……みごと、一〇〇点！）

彼は課長のまえに立って、相手の禿《は》げかけた頭を見おろした。課長は彼の視線を感じて眼を伏せ、急所を思いのまま観察させてくれた。俊介は薄い髪のしたに相手の頭《ず》蓋骨《がいこつ》をありありと感じ、縫合部の地図を指さきでたどってみたいような誘惑をおぼえた。そして鈍器で一撃したときに灰色の球が分解するありさまをあれこれと想像した。危険人物をまえにして課長はそれきりものをいわず、書類をはぐるしぐさをいたずらにくりかえすばかりだった。

その夜、俊介は悪名高い料亭で意外な人物に出会った。川に面した奥座敷で、彼は課長と、おたがいに刃をかくした世間話をさかなに酒を飲んでいたが、そこへ局長が仲居に案内されて何の予告もなく入って来たのである。なぜこんな卑屈な取引場に登場したのか、ふいを打たれた俊介にはしばらく見当がつかなかった。

「いや、一度あなたに会って、おわび申上げたかったのでね」

局長は座につくとすぐ快活な口調で来意を告げ、上申書却下の不明を率直にわびた。

「今度の事件は完全に私のミスでしたよ。地主の反対もあって、あなたの計画をそのまま実行するわけにはいかなかったが、それでもあれを聞いていたらもう少し何とか手の打ちようを考えられたでしょう。予防の一オンスは治療の一ポンドにまさる道理ですからな。まったくお恥ずかしい次第です」

俊介は局長に一種の清潔さを感じた。じっさいに彼の案の検討を放棄したのは前任の課長である。ひょっとして、局長が課長にそれをわたしたのは俊介が無視した面子《メンツ》の体系を是正する意味をふくめていたのかもしれないのだ。そのことについてはこの男は一言もふれない。すべて自分の責任に帰そうとしている。

「これほどの大事件になろうとは、まったく思いもよらなかった。みんな、ネズミが、ふってわいたようだといってさわいでいるが、正直な話ぼく自身もはじめはそんな感じがしていたんです。これは突発事件だろうとね。完全に負けましたよ」

局長は苦笑して蒸しタオルで顔をふいた。そして杯を俊介にわたすと仲居に酒をつがせた。課長は局長が現われたのをさいわいに話を肩がわりし、仲居相手の酒肴《しゅこう》の吟味に逃げてしまった。俊介は一人で局長にむかわねばならなかった。しかし、初対面にもかかわらず局長はいんぎんで気さくな男だった。俊介はしきりにネズミの習性や殺鼠薬《さっそ》の効果などをたずねられた。酒と話がはずむにつれて、当然、野党の攻撃運動や伝染病の噂などについても意見をかわしあわねばならなかったが、局長はつとめて、そんなときにも、俊介が攻撃者側の武器となっていることにふれまいと神経を使っているようだった。町角や公会堂の弾劾者たちが彼の名をまたたく間にせまい田舎町にひろめてしまったので、彼自身は役所内で苦しい立場におかれる結果となっていた。彼の背後にある勢力のはげしさと大きさのためにうっかり口にだすことはできないものの、同僚たちは嫉妬《しっと》を、上役たちは反感の感情を抱いて彼を眺めていた。その事情を知って局長は会話にこまかい気を配る様子だった。

俊介は鼠害の本質を局長に説明するために試験林の結果を引用した。研究課では去年の冬、官有林の一反歩ほどの面積をトタン板でかこって実験をした。雪のふるまえに課員たちはそのブロック内のネズミを一匹のこらず殺し、巣穴という巣穴を破壊し、下草をすべて刈りとってからトタン板で周囲をかこい、雪がすっかり積ったところを見はからってトタン板をはずしたのである。何ヵ月かして春になり、雪がとけた。実地検証の結果、はっきりした結論がでた。林はそのブロックだけほぼ完全に生きのこり、あとは全滅だった。

「……ということは、つまり、冬の雪のしたではネズミの行動範囲がせまい。そのため巣穴附近の木を手あたり次第、集中的にかじるということなんです。トタン板をはずしているのに侵入しないのですからね。植栽林は結局、冬の間にすっかりやられていたんですよ。春になってからいくらネズミをやっつけたところで、何にもならないのです。もちろん無視はできません。連中は飢えて気ちがいじみていますからね」

局長は話の途中でポケットからパイプをとりだした。みごとな柾目模様《ストレート・グレーン》のダンヒルである。俊介の話を聞きながら局長はせっせとそれを鹿皮でみがいた。癖なのかもしれないが、みがきおわると電燈にすかしてつやをためつすがめつ、うっとりした眼差《まなざ》しで見とれていた。いったいこの男はなにしに来たのだろう。俊介はパイプをみがいている局長の眼にはっきりと趣味家の表情を読んで疑問を感じた。局長はパイプをみがきあげると胸のポケットからモロッコ皮の煙草袋《ポウチ》をとりだし、焼香するような手つきで葉をひとつまみずつ火皿へつめこんだ。そして、ふと俊介が手もちぶさたな表情でだまりこんでいるのを発見すると、あわてて仲居に酒をすすめさせた。

「や、どうも、パイプというやつは子供のおしゃぶりみたいなものでね、つい夢中になっちまう……」

局長は顔をちょっと赤らめて弁解した。俊介はにがにがしさを苦笑と酒でまぎらした。局長は彼が飲み終るのを待って、あらたまったようにたずねた。

「ねえ、君。どうなんだろう。ネズミの勢力はいまが最高潮だといえないかね。一般にはどう受けとられているか、そこが知りたいな」

「そうですね。こないだ小学生を総動員しましたね、あのときは一〇八〇で相当やっつけたことを新聞にも写真入りで発表しましたから、こちらもボンヤリしてるんじゃないってことはみんな承知してくれたと思うんですが……」

局長はパイプに火を吸いつけながら満足げに大きくうなずいた。

「そう、あれは成功だった。バケツにいっぱいネズミの入ってる写真がでていた。あれはヒットだったね」

「もう一度あれをやるべきじゃないですか。いや、私はあれを見てえらいもんだと思ったですね。あれなら何回やってもいい」

それまで仲居相手に芸者の噂話《うわさばなし》をしていた課長が何を思ったのかとつぜん口をだした。局長はそれにかまおうとしなかった。彼はだまってパイプをくゆらすと息を吸いこんで口をつぼめ、指のさきで軽く頰をついた。

「一回でいい、もう一回でいい」

局長はけむりの輪がくるくるまわって大きくなりつつ天井へのぼってゆくのを見とどけてから俊介の方へ向きなおった。

「もう一回だけでいいから、小学生を動員して下さい。あなたの活動がしやすいよう学務課にはよく話をしておきます。そして、その結果を放送するんです。それが終ったらポスターも剝《は》がし、懸賞も打切り、いままでに配給した薬のうち危険なものだけ全部回収する。もちろん対策委員会も解散ということになる」

「……？」

にわかに実務家の口調になってテキパキ喋《しゃべ》りだした局長を俊介はあっけにとられて眺めた。

「どうして委員会を解散するんです？」

「ネズミが全滅するからだよ」

局長はそういって静かにパイプをおいた。澄んだ、つめたい瞳《ひとみ》にはいままでにないつよい光がただよっていた。ヴァージニア煙草《たばこ》の香ばしい霧のなかから精悍《せいかん》な男の顔があらわれた。趣味家のおもかげはどこにもなかった。俊介は形勢の逆転をさとった。彼はワナにおちたのだ。

「いいかい。君は一〇八〇を県下一円にばらまくんだ。それからラジオで放送する。新聞には談話と写真だね。つまりこれは終戦宣言だ。ご諒解《りょうかい》願えるでしょうな」

俊介は感嘆して局長の顔に見とれた。からくりはわかっている。この男は追いつめられたのだ。野党の非難を浴び、パニックにおびえて、ついに灰色の大群を幻影に仕立てることを思いついたのだ。上申書ボイコットをわびたり、ネズミの習性や毒薬の効果をたずねたりしたのはすべてゼスチュアだった。さんざんひとを喋らせておいて、自分はパイプをみがきながらひそかにワナを仕掛けていたのだ。

「……これは緊急措置というやつだ」

局長はするどい眼で俊介の顔を見つめた。

「こないだ君はラジオにでたね。ニュース解説の深夜録音をとったろう？　あれは放送局から問合わせの電話があったので放送延期を頼んでおいたよ。みんなネズミのことには過敏になっているからな、もし君の放送が誤解されるとデマはひろがる一方だ。ネズミをはびこらせてしまったのはこちらの手落ちだが、大衆をデマにまきこむことだけは防がねばならない。君の原稿の内容は伝染病に直接の関係はないが、刺激にはなる。想像力は野放しにしておくと際限なくひろがるからね、どんなことをでっちあげられるかわからない。これが危険なんだ」

俊介は策略のむだを説明しようとして口をひらきかけたが、圧倒的な不利をさとってやめることにした。局長の眼と表情は緊張して一歩もしりぞく気配はなかったし、課長は杯をおいて二人をひそかに見守っていた。今度口をひらけば俊介に迫ってくるのはこの男だ。俊介は眼を伏せてイクラの粒をよりわけるふりをした。

（やっぱり復仇されたな）

彼はだまっている課長にしたたかな策略を感じさせられた。弱点をつかんだと思ったのは完全な誤算だった。彼はまんまとおびきよせられ身動きならぬ共犯者に仕立てられようとしているのだ。終戦宣言という悪質な茶番を思いついたのは局長かもしれないし、知事かもしれない。しかしそれを彼におしつけるよう進言し、画策したのはこのいやな匂《にお》いをたてている胃弱の男だ。

「明日の会議には君もでてくれたまえ。くわしいことはそのときめよう。だいたいはのみこんでもらえたようだね」

「………」

局長はていねいにパイプをハンカチにくるんで立ちあがった。だまりこんでいる俊介の表情をどうとったのか、さいごに局長はもとのいんぎんな口調にもどった。

「ネズミ騒ぎが終ったら一度ぼくの家へも遊びに来てくださいよ。政治からはなれて、ゆっくりトスカニーニでも聞こうじゃないですか」

趣味家の柔和な眼にふとさびしげな、自嘲《じちょう》ともとれるいろを浮かべて局長はそういうと、課長をしたがえて部屋をでていった。

あとにひとりのこされた俊介は緑金砂をぬった薄い壁ごしに聞える雪どけ水のはげしい川音に耳をかたむけた。窓のすぐしたを川は流れていた。彼はそのむこうの夜の底にひしめくけものたちの歯ぎしりをひしひしと体に感じた。

彼は放送局の録音室を思いださずにはいられなかった。その部屋の静寂は異様である。壁とガラスとカーペットによってそこには完全な静寂が保たれている。放送局以外には地上のどこにも存在しない状態である。ひとびとは厚いガラス窓ごしに室内の人間に命令をくだす。命令を受けた人間は部屋が爆破されるその瞬間まで壁の外にひしめくいっさいのエネルギーの気配を知らずに演技をつづけるのだ。局長が彼に命じたのはこの部屋の扉を閉ざすことではなかったか。

使い古された手だ。これは局長の独創でもなんでもない、使い古された手だ。いままでに指導者たちは過度のエネルギーが発生するたびに何度もこの手を使い、自分に肉薄する力をすべて幻影に仕立てて大衆の関心をそらしたのだ。そしてそのあとではきまってどこかで爆発が起ったのだ。

（やっぱりあいつの方が当ったな）

俊介は、いつか酒場で農学者のいった忠告を思いだした。そのとき玄関で課長が局長に別れの挨拶《あいさつ》をする声が聞え、つづいて仲居や女中をともなって高声に笑いながら廊下をこちらへもどってくる気配が感じられたので、俊介はいそいで体を起した。

（成功するかな……）

逃げる手は一つしかないと彼は考えた。明日の会議で責任を課長に転じてしまうのだ。口実は二つある。一つは鼠害対策委員長が課長であること。これを主張することは身分上まったく正しい。もう一つは彼が野党の攻撃武器に利用されている事実を指摘すること。もし終戦宣言のからくりが発見され、そのメッセージの読み手が余人ならぬ俊介自身であることがわかれば弾劾者《だんがいしゃ》の血は憤怒の酸液でわきかえり、県庁側は弁明のしようがなくなるだろう。その不利をさとらせるのだ。これはよほど用心ぶかく説明しなければならぬ。さらに課長の個人的反撃をそらしておく必要がある。彼に対する反感を解消することだ。これには、ひとまずイタチの不正を見逃してやることだ。証拠の伝票やイタチや供応の事実の証言など、材料は豊富にこちらでにぎっているのだから、告発しようと思えばいつでもやれるわけだ。いざとなれば、まずい手だがこの刃をチラつかせるということも考えられる。苦しまぎれだが、さしあたっていまのところピラミッドの重圧を逃げるにはこの手にたよるよりしかたないのだ。

彼はみじめな気持をおしかくして課長を笑顔で迎えた。この戦術で勝つことには八〇パーセントの自信がある。しかし、勝ったところであとになにがのこるというのだろう。ネズミの大群と孤独感。またしても倦怠《けんたい》の青い唄か。あらゆるかけひきのあとにその疑問がのこる。

「君、うまいことやったな」

課長は部屋にもどって来るやいなや彼の肩をたたいて横に坐りこんだ。体内によどんだ腐臭を熱い酒がかきたてたのだろう。全身から生温かい匂いを発散していた。

「……?」

「知事がね、いってるそうだよ」

課長はするどい眼にいつもの傲慢《ごうまん》な薄笑いの表情を浮かべ、うまそうにこのわたを吸った。

「君は東京の本庁へ栄転だってさ。一週間の特休もつくそうだし、たいした出世ぶりじゃないか。ネズミ供養《くよう》しなくっちゃいけないね」

(けむたがられたな……)

俊介はしらじらしさのあまり点をつける気にもなれなかった。はげしくわびしい屈折を感じて彼は腐った肉体に頭をさげた。

「負けましたよ、課長。みごとに一本とられました……」


はじしらずに泥酔して帰った俊介を待っていたのは農学者だった。彼は古タクシーをやとい、エンジンをかけっぱなしにして、体じゅうに悪魔じみた精力をみなぎらせて俊介の家の前にがんばっていた。彼は酒の溝に寝ていたのかと怪しみたくなるばかりに酔いしびれた俊介をものもいわずに自動車へおしこみ、運転手に全速力を命じた。

自動車は深夜の町を気ちがいじみた速度で走った。駅前や商店街や辻でほかの自動車とぶつかりそうになって徐行するたびに農学者は床を踏み鳴らしてくやしがった。

「どうしたんです？」

舌打ちしたり、ののしったりしている相手のとりみだしように俊介はあっけにとられた。農学者は後部席に酔いたおれた俊介のだらしない恰好《かっこう》を見て吐きすてるような口調で説明した。

「移動だよ、ネズミが移動をはじめたんだ。早く行かなきゃ間に合わない。おれは生まれてはじめて見るんだ」

おだてられるような日本酒特有の酔いにしびれていた俊介は農学者の言葉でショックを感じ、ふらふらしながら体を起した。

どの林にいた一匹がさいしょに衝動を感じて走りだしたのかわからないが、ネズミの軍団の一部がその夜移動したのである。一人の木こりがそれを目撃した。焼酎《しょうちゅう》を飲んで村からの帰り道にその木こりはおびただしい数のネズミが雑木林や草むらからあふれて路上を横ぎるところを発見したのだ。彼はそのまま自転車をもどして村の駐在所にかけこんだ。若い巡査は博物学者ではなかったので説明しようのない異常をそのまま電話で県庁へ報告するよりほかに方法を知らなかった。ニュースがまわりまわって農学者の家へとどいたときはすでに一〇時をすぎていた。その間にも村人たちは懐中電燈や提灯《ちょうちん》で道を照らし、総出でネズミをたたき殺し、踏みつぶしたが、勝負はつかなかった。暗がりのためにくわしいことはわからないが、殺された数とは比較にならないほどのネズミの大群が道を横ぎって夜の高原に消えていった。この知らせがふたたび電話で県庁につたえられたとき、農学者は市内の屋台店や安酒場をシラミつぶしに歩いて俊介をさがしまわっていた。彼は俊介から秘密会議のことを知らされていなかったのだ。

俊介を待つ間にニュースを分析した農学者はその夜のネズミの行手に湖がひろがっていることを地図で発見した。市から一〇粁《キロ》ほどはなれた、いつもはモーター・ボート・レースなどのおこなわれる観光地である。いままでのあらゆる記録にしたがって仮説をたてた農学者は衝動の発見された現場を観察したい好奇心をおし殺して湖へ先回ることにした。賭《か》けである。

町を出ると農学者は自動車に全速力を命じた。自動車はいまにも解体しそうなきしみをあげて田畑や林をかすめ、山道をのぼり、高原を疾走した。むだなことはわかっていても、農学者は途中で山番の小屋や炭焼人の家を見つけるとかならず車をとめ、ネズミの噂をたしかめた。どこでも満足な答えは得られなかった。ネズミはどこからともなくあらわれてどこへともなく消え、音信を断ったのだ。湖に行きつくまでの間、俊介はひっきりなしに農学者の発する仮説への疑問や臆測《おくそく》に悩まされつづけた。農学者は割れそうな頭痛にうめく彼をつかまえて自説に強引な賛成を要求したかと思えばふいに自信を失って子供のようにしおれたり、だまりこんだかと思うと急に元気づいて喋りだしたりして、まるで熊のようにめまぐるしく仮説のまわりを往復するのだった。

「もし見つからなかったら君のせいだ。君がただ酒食《くら》っている間に敵は逃げたのだ。ちっとやそっと安酒をおごってもらったくらいでは承知できないよ。覚悟するがいい、ミニ・マックス先生」

しかし、夜明けちかくになってやっと湖についたとき、彼らは過去一年四ヵ月にわたって追いつ追われつしていたエネルギーの行方をついに発見することができた。湖を一周しかけた彼らはたちまち薄明のなかにひろがる狂気を見いだして車をとめた。農学者はユーレカの声をあげて自動車からとびおり、水ぎわへかけだしていった。そのあとから湖岸の砂地におりた俊介は自分が異様な生命現象に直面していることを知った。

無数のネズミが先を争って水にとびこんでいた。明け方の薄暗い灌木《かんぼく》林や草むらや葦《あし》の茂みなど、いたるところからネズミは地下水がわくように走りだしてつぎからつぎへと水にとびこんでいった。水音と悲鳴で、湖岸はただならぬさわぎである。ネズミはぬれた砂地を走ってくるとそのまま水に入り、頭をあげ、ヒゲをたて、鳴きかわしながら必死になって沖へ泳いでいった。

奇怪な規律である。ただの一匹も集団からはずれた行動をとるものがないのだ。これはツンドラ地帯でレミングが移動のときにのこす記録とまったく一致している。飢えの狂気の衝動のために彼らは土と水の感触が判別できなくなったのだろうか。彼らの肺や足は陸棲《りくせい》動物のそれである。泳いだところでせいぜい時間にして一〇分から三〇分、距離にして八〇メートルから二五〇メートルくらいしかもたないのだ。しかも彼らは迂回《うかい》することを知らず、一直線に泳ぐ。対岸をめざしているのではない。新しい土地を求めているのではない。ただ発作的に走っているだけだ。

俊介は靴底を水に洗われ、寒さにふるえながらこの光景を眺めていた。朝もやにとざされた薄明の沖からはつぎつぎと消えてゆく小動物の悲鳴が聞えてきた。その声から彼の受けたものは巨大で新鮮な無力感だった。一万町歩の植栽林を全滅させ、六億円にのぼる被害をのこし、子供を食い殺し、屋根を剝《は》いだ力、ひとびとに中世の恐怖をよみがえらせ、貧困で腐敗した政治への不満をめざめさせ、指導者には偽善にみちた必死のトリックを考えさせた、その力がここではまったく不可解に濫費《らんぴ》されているのだ。

俊介は服の襟をたてると寒さしのぎに砂のうえをせかせかと歩きまわった。暁の湖岸の微風はナイフのようにするどかった。新聞にはこの光景が劇的に書きたてられるだろう。風の向きでどちらの岸になるかわからないが、いずれネズミの死体は岸へ打ちあげられて山積みになるのだ。局長はだまってダンヒルをくゆらせ、地下組織壊滅の知らせをトスカニーニとともに聞くだろう。ひとびとは細菌と革命を忘れ、地主たちは植栽補助金争奪戦にのりだし、課長は新しい汚職を考え、そして田舎町はふたたび円周をめぐるような平安な生活にもどるのだ。このパニックの原動力が水中に消えるとともに政治と心理のパニックもまたひとびとの意識の底ふかくもぐってしまうのではないだろうか。深夜の町の若い声はひとびとの夢のなかへ入っていけるだろうか

……

俊介は足もとを必死になって走ってゆく灰色の群集を眺めて、うしろの農学者に声をかけた。農学者はよれよれのレインコートの襟をたて、うそ寒そうな表情で肩をすくめていた。

「これからどうなるんでしょう?」

「もう終ったよ。あちらこちらで残りの奴がおなじように逃げだすかも知れないが、事実は終ったも同然さ」

「町にはドブネズミがいますよ」

「たかが知れてる。あいつらは下水管に陸封《ランド・ロック》されたようなもんだからね。一匹ずつシラミつぶしにやっつけていけばいいのさ」

しばらく考えてから俊介は顔をあげ、薄明の霧のひかった湖をはるばる見わたした。

「名前をちょっと思いだせないんですが、スコットランドになんとかいう湖がありましたね。あの、前世紀の怪物がでるとかで名所になった」

「ロッホ・ネスのことかい。ロッホ・ローモンドというのもあるよ」

農学者はすっかり酔いがさめて小きざみにふるえている俊介の恰好を見て皮肉な眼つきをした。

「怪物はどうだかあやしいもんだが、とにかくウィスキーの名所ではあるらしい。これはたしかだね」

俊介は苦笑して手をふった。

「いや、そうじゃない。ぼくはこの湖にその名前をつけたらいいと思ったんです」

「どうして?」

「一二〇年たつと、またササがみのってネズミがでてくるわけでしょう。つまり連中は死んだのじゃなくて、ただ潜伏期に入っただけなんだと考えてもいいわけですね。だからここには怪物が寝ていると立札をたててもいいと、ぼくは思った」

農学者はだまって肩をすくめると踵《きびす》をかえし、湖岸の土堤《どて》に待たせてあった自動車の方へ草むらを去っていった。俊介はそのあとを追った。沖の方ではしきりに小さな悲鳴が聞えた。

帰りの自動車では、俊介は運転手から毛布を借りて眠った。眼がさめるといつの間にか車は高原をおりて田んぼのなかの街道を走っていた。軽金属のような朝陽が林や畑のうえに輝いていた。それを見て俊介は、新鮮な経験、新鮮なエネルギーが体を通過したあとできまって味わう虚脱感をおぼえた。なにげなく窓の外を眺めた彼は、街道を一匹の猫が歩いているのを発見した。やせて、よごれた野良猫である。車の音がしてもおどろかず、ちらりとふりかえっただけで、そのまま道のはしを町の方向にむかってゆっくりと歩きつづけた。皮肉な終末だと俊介は思った。あるわびしさのまじった満足感のなかで彼は猫にむかってつぶやいた。

「やっぱり人間の群れにもどるよりしかたないじゃないか」

（「新日本文学」昭和三十二年八月号）

巨人と玩具《がんぐ》

一

サムソン製菓のビルは都心にある。駅に面しているので、朝夕おびただしい勤人たちがビルの前庭に入ってくる。駅の出口は駐車場なので、この前庭が駅前広場として緩衝地帯の役を果たしている。高価な土地だが、サムソンはここを公道に提供し、そのかわり歩道をビルのガラス壁にそって設けた。ガラス壁の内部は巨大な展示室で、チューインガムからマロン・グラッセにおよぶ、おびただしい種類のサムソン製品が、季節を問わず陳列されている。通行人は、いきおいここをのぞいて歩くことになる。つまりこのガラス壁の宣伝効果のために会社は広場を公衆に開放したわけである。歩道は幅が広く、日蔽《ひおお》いが張ってあるので、雨の日でもぬれずに歩くことができる。広場のあちらこちらにはベンチがおかれ、花壇がつくられ、ちょっとした小公園のおもかげがあった。この広場ができてからターミナルの混雑が解消されたので、あたりのビル街の住人たちにサムソンはひどく評判がよい。

二階の私の部屋からは広場をそっくり見おろすことができる。昼となく夜となく、ガラス壁の外を人が流れていく。海のようだ。一日に二度、大きな潮が上下する。通勤人たちの隊伍《たいご》である。この行進はものがなしい。朝は陽がまぶしいため、夕方は空腹と疲労のため、この人たちはいつ見てもうなだれている。そして足どりだけはせかせかといそがしい。彼らは古鉄の箱から吐きだされると足なみそろえて広場に流れこみ、ガラス壁にそってさかのぼり、あちらこちらの色さまざまなコンクリート壁のなかへつつましやかに吸いこまれてゆく。その数知れぬ足音は巨大な波音となっておしよせ、部屋にいる私の体内にもこだました。

広場には人の絶えることがない。一日じゅうガラス壁がふるえている。通勤人の潮がおわると、さまざまな人がやってきた。ファッション・モデルとカメラ・マン。地方の観光旅行団。新興宗教の信徒たち。主婦。学生。商人。失業者。土曜の午後の貧しい恋人の群れ。五月一日の労働者と警官。ここにはありとあらゆる職業と年齢の人間が渦を巻き、雨にうたれ、埃《ほこ》りを浴びているのである。私の背後にはいつも群集の気配がある。二度ともどらなかったが、京子もまたそのうちの一人であった。彼女は四月の日光に目をしかめ、微笑を浮かべて雑踏からぬけだし、窓のまえにたった。

四月のある月曜日の正午すぎ、私は課長の合田に電話で呼ばれて一階の喫茶室へ行った。喫茶室は展示室のとなりにある。入口はキャンデー・ストア、中は軽食堂になっている。ちょうど昼食時だったのでホールは満員だった。合田は隅の窓ぎわで一人の少女と話をしていた。私は合田とならんで腰をおろし、だまって二人の話を聞いた。少女は日なたにすわっていた。笑うと、かけた虫歯がのぞいた。眼のまるい、眉《まゆ》の濃い、鼻の陽気にしゃくれた子だった。テーブルには大工の道具袋に似た、くたびれたスコッチ縞《じま》のボン・サックが投げだしてあったが、中身は表紙のとれかけた映画雑誌か服飾雑誌。あるいはそれに止メ金のはずれかけたセルロイド製の化粧箱。せいぜいそれぐらいしか想像できないような顔をしていた。指のマニキュアがところどころ剝《は》げているし、足は埃りにまみれていた。洋裁学校や料理学校へ行けばいくらでも会えそうな少女であった。

あとから聞くと、合田は展示室の入れかえをやっていて、たまたまガラス壁のむこうの見物人のなかに彼女を発見したのだということだった。その日は新しく輸入した英国製の自動包装機をすえつけて、チューインガムの包装を公開実演した。モーターがうなり、コンベアが流れ、金属の腕がめまぐるしく飛び交って桃色の醋酸《さくさん》ビニールの破片がたちまち優雅なサムソン製品に仕立てられるありさまが見物人をよろこばせた。少女は鼻を窓にすりよせ、ひとりで笑ったり、感嘆したりした。その表情がおもしろかったのだと合田はいう。私が見たとき、すでに彼は少女と叔父、姪《めい》のような親しさでディズニー映画のことを話しあっていた。見ず知らずの少女をどう口説いて喫茶室へつれこむことに成功したのか、私は知らない。おそらく彼は自分の銀髪や目じりの深い皺《しわ》や新調の明灰色の背広などにつよい自信をもっていたのだろう。

ひとしきり彼はジャズ歌手やスターのゴシップをしゃべった。少女はそのたび気さくに笑ったり、呆《あき》れたり、おどろいたりした。話がおわると合田は彼女の勤めている会社の名前と電話番号を聞きだし、手帳に書きとめた。少女は近くの小さな貿易会社の事務員だった。給仕のようなこともしているといった。私は合田のいうままにキャンデー・ストアからチョコレートの詰合わせを買ってきて少女にわたした。

「ありがとう。私、うれしいわ。だって今日はこれでアミダが助かるんですもの……」

気軽に礼をいって彼女はそれをボン・サックのなかへ無造作に投げこむと、袋を肩にかけ、口もとに微笑を浮かべた。はじめてくちびるのうえに日光が射《さ》し、うぶ毛が水底の魚影のように光った。私が彼女について感じた魅力らしいものといえば、かろうじてそれぐらいであった。少女の去ったあと、合田はすぐに感想をもとめたが、私は満足させてやれなかった。

「写真にとればよいかもしれない」

そうつぶやいて彼は、〝火薬庫用〟と呼んでいるライターで苦心してタバコに火をつけ、席をたった。

綿密で仕事熱心な男だが、合田には奇妙な趣味が二つある。模型と女である。どちらも街でひろってくる。模型についていえば、彼は本職にちかい才能をもっている。自動車、船、ジェット機、なんでも組立てる。紙と木とプラスチックの破片で完全縮尺の模型をつくるのである。彼の机には書類の山に埋もれて、いつもなにかしら、飛行機か自動車がセメダインや木片などといっしょにころがっている。仕事のひまをぬすんで組立てるのだ。たまに気に入ったセットを外出先で見つけると、ほとんど終電ちかくまで会社に一人居残って没頭することがある。五十をこえた銀髪の男が模型に夢中というのはちょっと見られない風景だが、私たちは慣れてしまって、おどろかない。

女。これはどちらかといえば仕事に属することだ。仕事熱心のあまりにやるのである。彼は宣伝課長だが、渉外事務のほかにアート・ディレクターとしてデザイナーや文案家の仕事も指導する。ポスターをつくるときは、こまかいことはすべてデザイナーにまかせるが、誰をモデルにしてどこの工場で印刷するかというようなことは彼がきめる。そこで、いきおいスカウト役までひきうけてしまうことになるのだ。劇場でも電車のなかでも雑踏でも、たえず彼は目を光らせている。気に入った女を見つけると、あとをつけ、あらゆる角度と光線と表情のなかで、ためつすがめつ観察し、話しかけて会社へつれてくる。カメラ・リハーサルをするのである。たいていうまくいかない。彼のひきだしにはボツになった女の写真が無数に入っている。彼は慎重な技巧家だが、それでもときには失敗することがある。あるときなどは一人の女を電車にのったり、バスにのったりして三時間ちかくもあとをつけたあげく、話しかけたら人身売買業者とまちがえられて逃げだされたことがあった。あいにく名刺をわたしてしまったので、翌日、娘の母親が会社へ抗議にやってきた。重役に呼ばれて合田はさんざん年甲斐《としがい》もなく叱責《しっせき》を受けたが、その後もあいかわらずである。女を見ると反射的に目と足がうごく。やめられないのだという。

京子のときもそうだった。喫茶室で会った日から二、三日すると合田はこっそり私を呼び、タクシーをひろってこいといった。いわれるままにタクシーをひろい、広場の出口で待っていると、いつのまに呼びよせたのか、彼は京子をつれて喫茶室からでてきた。彼女はその日、ふいに電話で呼ばれ、帳簿に紙をはさんだまま会社をぬけだしたのだった。合田からテスト撮影の話を聞かされると彼女はまっ赤になった。そして、車のなかで春川の名を聞くと、いよいよ昂奮《こうふん》し、服も髪も化粧もととのえてこなかったことの不平と落胆をぶちまけた。泣かんばかりであった。合田の肩をゆすぶるようにして彼女は身もだえし、自動車の床を蹴《け》った。その反抗ぶりはどこか仔猫《こねこ》に似ていた。合田はそれをおだやかな微笑で受け、何十回めかのせりふをいんぎんな口調で暗誦《あんしょう》した。

「服もお化粧もそのままでいいんです。春川君のスタジオにはカクテル・ドレスもマックス・ファクターもある。だからあなたはカメラなんかおかまいなしに、そうね、生まれてはじめてキャラメル食べて、アア、ナンテイインダロウというような気分で舌でもだしていたらいいんです。ごく自然な気持でね。あとは春川君がうまくやってくれる」

合田はそんなことをいうばかりで、いっかな相手になろうとしなかった。

春川は合田の古い友人で、流行作家である。若い頃には軟焦点のタンバールレンズなどを使って感傷的な作品を発表していたこともあったが、さいきんは女性ポートレートを専門にとっていた。それもただの風俗写真ではなく、一癖も二癖もある演出と辛辣《しんらつ》な観察で名を売っている。彼は好んで有名女優を狙《ねら》い、ポーズの鎧《よろい》のすきまからすかさず虚栄や孤独や皺をぬすみとった。売りだしたばかりの純情女優の鮫肌《さめはだ》を公表して映画会社から抗議を受けたり、イヴニングを着たまま焼芋をかじるファッション・モデルの楽屋姿をスクープしたり、その身辺にはいつもなにか生《い》き生《い》きとした醜聞があった。彼は中年をすぎても独身で、みにくく肥《ふと》り、女をいじめぬいた作品をつくるにもかかわらず女たちに愛されていた。

あらかじめ電話で連絡がとってあったので、春川は助手や照明の準備をととのえて私たちを待っていた。彼の顔は過労のため傷のような皺に荒らされ、目のしたには打撲傷を思わせるくまがついていた。そばによると、はっきりそれとわかる昨夜のコニャックの名残りが発散していた。彼は白髪のまじりだした粗い髪をかきあげ、射るような目でちらと京子を眺めた。彼女はおびえて肩をすぼめた。彼女の様子が、あまり子供っぽかったので、春川はスタジオの階段をのぼりつつ、合田にそっと不平をささやいた。

「なんだ、まだジャリじゃないか」

合田はさいごまでつきあったらしいが、私は最初のシャッターがきられるまえに興味を失って、会社へひきあげてしまった。いままでの経験から、合田が自分ひとりの趣味や好悪《こうお》の感情だけで少女を観察しているのでないことはわかっていたが、なによりも彼女があまりにみすぼらしすぎた。彼女は春川におびえ、ライトを容赦なく浴びせられて、ものもいえなくなっていた。春川がポーズを命ずると、彼女は田舎娘のようにりきんでカメラをにらみつけたのである。その頃には合田の考えているらしい彼女の顔の持つ特異さにいくらか私も気がついていたが、こわばった彼女はすっかりそれを殺してしまった。

（いかもの食い……）結局その感想をふりきることができなかった。私は肉眼でしかものを見ていなかったのだ。

一週間ほどしてから春川が会社にやってきた。合田と私は喫茶室で彼と会った。あいかわらず彼は貪欲《どんよく》と衰弱のまじった顔をしていた。酒の重い残香のなかで目だけするどい光を浮かべていた。彼は席につくやいなや、厚い封筒をテーブルに投げだし

「あの子、貰《も》ろた」

そういってニヤリと笑い、手の甲で目やにをぬぐった。

封筒のなかには写真が一〇〇枚ほど入っていた。合田は一枚ずつ綿密に、しかしすばやくそれをしらべ、またたくまに写真の山を二つにわけてしまった。さいごの一枚をおいたとき、彼の顔には満足の微笑が浮かんでいた。彼はタバコに火をつけ、小さいほうの写真の山をさして春川にいった。

「イケるね」

「イケるだろ」

春川は顔をほころばせた。

「あの子はネガ美人《シャン》だよ。素顔じゃとてもいただけない」

合田は苦笑して手をふった。

「でっかい口をしてやがる。笑うとあんパンが一コまるごと入りそうじゃないか」

「頓狂な子だよ。ペロッと舌をだして鼻の頭をなめてやがんの。驚いたね。十八番《おはこ》だってさ」

春川は合田としばらく世間話やリハーサルのギャラの相談などをして帰っていった。合田は私に写真をわたし、あずかっておいてくれといった。私はそれを部屋にもって帰り、全部点検してからひきだしに入れて、鍵《かぎ》をかけた。機密費のなかから高額の撮影料を払ったにもかかわらず合田は二度とその写真にも京子にもふれなかった。

それっきり私は春川にも京子にも会わず、日をすごした。二人の行動は翌月号の写真雑誌『カメラ・アイ』がでてからすべて判明した。春川は京子をテーマにして作品を発表したのである。それは編集者によって『オオ、ジュニア！』と題され、『ありふれた少女の非凡な一日』という副題がついていた。グラビア六頁《ページ》にわたる力作であった。それは週刊誌に大きな話題を提供し、『カメラ・アイ』は創刊以来の反響を呼んだ。私はこれを見て、はじめて合田と春川の二人が新しい型の発掘に成功したことを知ったのである。レンズをとおして京子は完全につくりなおされていた。

『オオ、ジュニア!』は貧しい少女の生活報告だった。春川は刑事のように京子を追いまわし、朝起きてから夜寝るまでの彼女の一日を演出と記録をまじえて描きだしたのだ。彼は京子をいくつかの型にわけて表現した。貧乏や孤独や小さな虚栄やわびしい歓楽など、そのいずれについても彼はためつすがめつ吟味して、彼女独特の個性がもっとも痛切にでていると同時に背後にひかえる何百万人かの十代少女の大群がそのまま想像される、そんなものだけを選んで発表したのである。解説によれば春川は十二枚の作品のために六〇〇枚のネガをむだにしたということであった。

表題どおり京子はありふれた少女だった。彼女の生活を代表するものは満員電車やブロマイドや屋上の日なたぼっこであった。三時のアミダ。服飾店の飾窓。公開録音の長い列。夜ふけの大衆食堂のラーメン。おそい銭湯のどぶの匂《にお》い。スーパーマン気どりで毛布をかぶって押入れからとびかかる弟。そんなものが彼女の身辺を飾っていた。

「あの子は会社の炊事場の隅で金魚鉢にオタマジャクシを飼っているんだよ。それも小さな奴じゃない。フグみたいな面《つら》をした、食用蛙《がえる》のオタマジャクシさ。餌《えさ》にはカツオブシがいいんだとかいってたよ。ほかの女の子とちがう点といったらそれだけだったね」

のちに雑誌記者や新聞記者にゴシップをもとめられると、春川は無愛想にそう答えた。

『オオ、ジュニア！』を検討してみて私は京子の顔の特徴にはじめて気がついた。大きすぎる目、大きすぎる口、濃い眉、しゃくれた鼻。彼女は美少女ではないが、写真にするとふしぎにこれらの欠点が特異な個性となって生きる顔をしていた。春川が合田に、ネガ美人《シャン》だといっていたことはそれだった。人びとに魅力をあたえたのはその奇妙な顔にあふれた若わかしさと感情のゆたかさ、新鮮さであった。リハーサルのときにはあれほどぎこちなかった彼女がライカにむかうとまったく警戒をといてしまい、虫歯をみせて笑いかけ、のびのびと歩きまわり、表情たっぷりに訴えかけていた。春川はどういう導きかたをしたのだろうか。目ばかり光った、とけかけたバターのかたまりのように肥った彼の体にどんな説得力がひそんでいるのだろうか、また合田はそれをどこまで計算して京子を彼におしつけたのだろうか。私はただ自分の肉眼の稚拙《ちせつ》さを知らされ、その成果に感嘆するだけであった。

リハーサルがあってから一月《ひとつき》ほどたった。そのあいだに『カメラ・アイ』が発行され、週刊誌が共鳴し、新聞にも反響がでたが、合田はそ知らぬ顔をしていた。彼は春川と京子の二人に厳重な約束を守らせ、自分の名が発見者として発表されることをふせいだ。彼はそうやってひそかに時間をかせいでいたのである。彼の行動には誰よりもくわしいはずの私ですらその計略をかぎつけることができなかった。彼は引延ばし作戦の計画をたて、時間ぎれでむりやり強引に勝ってしまった。

私たちの会社では毎月十日すぎに各課の綜合《そうごう》会議がひらかれる。六月の中旬から特売を実施しなければならなかったので、その月の会議にはいつもとちがって全国各地の支店長や出張所長が集まり、担当重役は全員出席していた。特売計画はすでに三ヵ月まえから検討され、内定され、準備がすすめられていたので、会議はその最後的確認であった。キャラメルにどんな懸賞をつけるか、どんなカードを箱に入れるか。また期間中の問屋、小売店への特別利潤は何%、温泉招待はどこへ、というような根本的問題はすでに解決ずみで、工場もそれにそった生産体制に入っていた。

すべては順調に進んでいたが、たったひとつだけ未解決の問題があった。これは過去三ヵ月間、何度も会議に上程されながら、そのたびうやむやに葬《ほうむ》られて私たちの行手をふさいでいた。トレード・キャラクター、つまり、特売期間中、新聞広告やポスターのモデルに誰を起用するかという問題である。これはもっぱら合田の責任であったが、彼は重役や部課長連中が会議の席上で提案する少女歌手や少年スターなどを、そのたびに言を左右にして賛成しようとしなかった。理由はそれら有名スターが〝広告ずれしているから〟というのであった。いつになく彼が強硬なために会議は難航に難航をつづけ、一ヵ月後に特売がはじまるというのに宣伝課はまだポスター一枚つくっていなかった。

童謡歌手、少年スター、野球選手、ジャズ・シンガー、力士など、子供に人気のありそうな有名人をことごとく彼は否定した。プロ・レスのチャンピオンの名があげられると彼はすぐさま新聞をとりだして電気カミソリとテレビの会社がそれぞれ彼を使っていることを示し、ファッション・モデルが登場すると

「あきまへんわ。あらもうジュース屋と口紅屋が手をつけよった」

そういって首をよこにふった。重役に抵抗するために彼はわざと大阪弁を緩衝材に使った。商談や工作となると、にわかに彼は大阪弁の楯《たて》にかくれ、容易に相手にすきを見せない。宣伝課の若いデザイナーたちとシャーンやロイピンの作品の話などをするときにはぜったいに使わないが、代理店と話をするときにははじめからおわりまで大阪弁である。ラジオ番組が売りこまれると、彼はさんざん辛辣な批評を下したあげく、いざ話が内定して値段の交渉に入ろうとすると、いきなりソロバンをふって

「さあ、ほんなら喧嘩《けんか》しまひょかいな」

と大きな声をだし、ニヤリと笑う。私は彼が大阪弁を使うときはどれほど用心して

もしすぎることがないと思っている。

今度の会議でも彼は大阪弁で活躍した。またしても話が蒸しかえされて、一度葬られた英雄たちが口ぐちに点呼され、ぞくぞく登場したが、彼はそれをかたっぱしから資格審査してふるいおとした。その理由は、金さえやればどんな商品のお先棒でもかつぐ彼らの無節操が鼻持ちならないからというのではなく、あくまで効果がないということに彼は重点をおいていた。

合田の理論によれば、つまり〃口紅屋〃の象徴が〃キャラメル屋〃の象徴になれば大衆の目には口紅と菓子の区別がつかなくなり、印象度が半減相殺《そうさい》しあうはずではないかということであった。

「たしかにそうかもしれないがスターにはファンがいるんじゃないかな？　ファンの連中ならよくおぼえてくれるし、よく見てくれる。それに、ファンという奴はばかにできない人口なんだ」

この質問が重役陣から発せられたとき、合田は深くうなずいたが、いんぎんに否定することにはかわりなかった。彼はファンの注目率を高く評価することで重役を愛撫《あいぶ》し、ついでその注目率の特質をあばくことで相手をそっと扼殺《やくさつ》した。ファンはスターの顔が見たくてポスターを仰いでくれるだけで、スターの推薦する商品が何であるか

は見てくれないというのである。つまり

「サムソンがブロマイド屋やったらそれでもよろしおまんねんが……」

重役は眉《まゆ》をしかめてだまりこんだ。

正午すぎから午後三時頃まで、ほぼ三時間ほどかかって合田はひとりで英雄たちとたたかい、さまざまな詭弁《きべん》やトリックや老獪《ろうかい》な話術で彼らを殺した。この地ならしが成功したために彼は京子の弁護士としては長い時間を要さなかった。三時をすぎると検事たちはすっかり混乱し、疲労し、途方に暮れてしまったのである。部長や課長は五月の日光とタバコのけむりのなかで居眠りをはじめた。

「……つまり、無名でもよいから手つかずの新人がいないかということだね？」

重役が交戦権を放棄すると合田は相手の深傷《ふかで》を見とどけたうえで自分は一歩ひきさがった。

「さあ、そんなもんでっしゃろかな。そういうことになりますかいな……」

彼のとぼけぶりに重役は苦笑を浮かべた。

「もういいよ、君。さっさとだしたらどうだい。時間がもったいない」

そういわれて合田が書類入れのなかからおもむろに『カメラ・アイ』と週刊誌をとりだすのを見て私は席をたち、自室にもどると、ひきだしからリハーサルの写真の入った封筒をもちだして会議室にひきかえした。合田は陽射《ひざ》しのよい窓を背にたちはだかり、自信たっぷりの胸をそらして室内を観察していた。

はじめて京子の顔を見せられた関西出身の重役の一人は私や合田や春川がひそかに感じながらいいあてられなかったことをずばりといった。彼はつくづくグラビア頁を眺めて、素朴な声をあげたものである。

「なんや、河童《がたろ》みたいな子やないか」

二冊の雑誌は重役から部長、課長、支店長、出張所長の手から手へわたった。彼らは『オオ、ジュニア!』を見ないで週刊誌を読んだ。週刊誌には『オオ、ジュニア!』の批評と反響と京子についてのニュースがすべて要約されて掲載されていた。なかには雑誌から顔をあげる検事がいないでもなかったが、合田のくちびるでピクピクしているらしい大阪弁の気配を察すると、すばやく目をそむけた。

しばらく沈黙したあとで重役がやおら顔をあげた。

「この子はまだどこも手をつけていないのかい?」

合田は待っていましたとばかりに私から受けとった封筒の中身を大テーブルにぶちまけた。

「私が、つばをつけましたんや」

彼はそういって京子を発見したいきさつや春川のスタジオでやったカメラ・リハーサルのことなどを説明し、サムソンから正式に声がかかるまではすべてのスポンサーをことわるよう京子にいいふくめてある旨《むね》をつけくわえた。

勝負はそこでおわった。重役はにがにがしさをおしかくし、合田から目をそむけてつぶやいた。

「なにしろもう時間がないからな」

賛成も反対もあったものではない。合田は難破者たちのすがりついている流木をかたっぱしからつきはなし、時間という唯一《ゆいいつ》の武器をひとりじめにしたあげく、救命ブイをたった一コだけ投げたのだ。一ヵ月たらずの時間で舞台や撮影所をかけまわってスターと交渉し、ギャラをきめ、写真をとり、印刷してしまうなど、とてもできた相談ではない。これは合田の一方的勝利であった。

その日彼は会議がおわるとさっそく春川に電話をかけ、あらためてポスター写真依頼の旨を話し、撮影の日時を打合わせた。それがおわると近くのビルにいる京子を電話で呼びだし、酒場に誘った。ちょうど五時の退社だったので京子はその場で賛成の声をあげた。私と合田は自動車で彼女を迎えに行った。彼女は車のなかで合田から専属契約と契約料の額を聞かされると、昂奮《こうふん》のあまり

「私、せんべいが食べたい」

といった。厚いのりを巻き、タップリしょうゆをつけて焼いたせんべいが食べたいというのであった。

二

私たちは漂流者である。数年来、間断なくある不安とたたかっている。そのために私たちは莫大《ばくだい》な費用と努力を捧《ささ》げたが、すべて徒労であった。何年かまえには不安は数字や予感でしかなかったが、いまではそれを私たちは自分の内臓のように感じている。私たちのかわす言葉は病んでよわい。合田はその腐臭をきらって模型作りに逃げているのだ。

どうしたことか、キャラメルが売れなくなったのである。これがそのひとつでそのすべてだ。空気調節装置のついた静かな部屋で過激な命令を発している重役たちはこの言葉をきらうかもしれない。自尊心のつよい老人たちは私たちを窓べりにつれてゆくだろう。そこからは積荷を満載したトラックがひっきりなしに地下倉庫をでてゆくのが見える。キャンデー・ストアに出入りするおびただしい広場の群集が目に入る。

私たちは耳もとでしゃがれ声がささやくのを聞き、肩を軽く叩《たた》く、乾いた、温い手を感ずる。

「売れているさ。いまのままでも充分やっていけるんだ。しかし、君、もっと売れるにこしたことはないだろう？　それだけのことなんだよ。いい企画はないかね」

この声はみすぼらしい。好意がわざとらしさにみちている。老人は壁のグラフに背をむけたがっているのだ。

たしかに、トラックは製品を満載して街へでてゆく。キャンデー・ストアには一日じゅう足音がある。公園には空箱が散乱している。日曜の動物園の埃《ほこ》りは甘い匂いがする。寝床のなかで本を読む少女の手はたえずワックス・パラフィン紙を剝《は》いでいるだろう。これらは信じてよい現実である。キャラメルは売れているのだ。

しかし、私の机には一枚の紙がある。収支決算書である。トラックや足音や甘い埃りや少女の手はこの紙のうえでことごとく死んでしまう。この紙は窓べりからもどった私にそっと耳のうしろにひそむ不安のきざしを教えてくれるのだ。私は月間成績報告書をとりあげて壁のグラフ用紙に短い線を書きたす。線はかすかな下向きの芽をのばす。過去数年の現実はこの線に要約されている。曲折に富んだ長い線はずっとまえに山頂を発して以来、流れっぱなしになっているのだ。私たちは平野を歩いているのでも坂をのぼっているのでもない。多少の凹凸はあってもハッキリと道は海をめざしているのである。

工場設備費や宣伝費、人件費などを集計して利潤率を割りだし、この線にからみあわせてみればサムソンの病いの深さがいっそうよくわかるだろう。二度と窓べりにたつ必要はない。広場の群集より私たちは数字と線を相手にしなければならないのだ。しかも傷はサムソンだけではない。アポロもヘルクレスも、またあらゆる中小メーカーをふくめて、とにかくキャラメルそのものが売れなくなったのだ。子供の舌にどんな変化が起ったのだろうか。

私たちはさまざまな説をたてた。まず口火をきったのはセールス・マンたちである。この口達者で愛想のよい男たち、自分ひとりで商品を売っているのだと信じこみたがっている資本主義の騎士たちは、あるとき熱意にあふれたいつわりで老人たちをなぐさめた。

「今月だけは特別です。連休日が雨つづきでした。せっかくのゴールデン・ウィークがまるつぶれ。これで行楽を見込んだ出荷がとまったのです。晴れさえしたらこれは回復できますよ。問屋の大手筋でもみんなそう見ているんです。出張先でアポロの奴と会ったら、やっぱりボヤいていましたよ。おたがい雨で死ぬのはアンコだけじゃないな、なんていったんです。心配することはないと思います」

これにには充分な根拠があった。なるほど私たちは最新設計のビルで働いている。壁にはもっとも能率を計算した心理色がぬられ、工場はオートメーション体制をとり、休憩時間には神経緩和剤として円舞曲が流れる。しかし、この近代風景のなかで私たちは明日の天気を一喜一憂しなければならないのである。サムソンにとって測候所は燈台だ。行楽日に全国で雨がふれば莫大な量のキャラメルがとまってしまう。貧しい母親たちは行楽日にしか気前よく買ってくれないのだ。セールス・マンの報告は真実だった。老人たちはしぶしぶうなずいて落ちた数字をみとめることにした。

しかし、不可抗力はその月だけではなかった。落ちつづける数字を説明するためにセールス・マンたちは毎月なにか口実をさがさなければならなかった。雨のない月は国鉄ストが、ストのない月は遊覧船の沈没が、汽車もとまらず船も沈まない月は颱風《たいふう》か洪水か大火があった。さがしてみればこの狭い島国には人びとにのんびりキャラメルを食べさせないものがいつもなにかあった。よくよく窮すると、豊年で果物ができすぎたために農村の子供がキャラメルを食べなくなったという説がもちだされた月もあった。どんな理由もたたないときは正価販売や四〇日決済制の強制が大資本の圧力として販売店の反感を買っているのだという事実が強調された。そのいずれもが真実であり、いずれもが唯一の原因ではなかった。

これに対し、味覚から大衆を考えねばならぬ立場にある製造課ではべつの意見をもっていた。彼らは老人にむかって率直に時代の相違を説いたのである。明治末期から大正初期にかけ、大衆の舌がまだ未開の段階にあったとき、バターとミルクと水飴《みずあめ》とヨーロッパ系香料の結合体であるキャラメルのエキゾチズムにはつよい迫力と訴求力があった。澱粉質《でんぷんしつ》の和菓子しか知らなかった人びとはキャラメルのかかげる「栄養豊富、滋味強壮」のスローガンに新鮮な真実を感じたのである。菓子を栄養学で裏打ちすることはアポロの独創的な発想法だったが、その成功を見て、あとにつづく会社はすべてこれにならい、それぞれサムソンとヘルクレスを象徴にかかげた。貧しい日本人たちは体格の劣等感を克服するためにすべての食品に栄養の幻想をほしがっていたのである。キャラメルはブームにブームを呼び、狭い市場を三分しながらも各社は異常な成績を楽しむことができた。

巨人たちが大衆に紹介した味は、その後、発展と血肉化の一途をたどった。さらにチョコレート、ビスケット、マシュマロ、ボンボン、マロン・グラッセまで加わって、ヨーロッパ中産階級の幸福がミソやタクアンのなかへ拍手を浴びて流れこんだ。そのエキゾチズムは急速に消化され、日常化され、根をおろした。危機はこれが習慣に編入されたときに芽ばえたのである。大衆の味覚は徐々に、しかし決定的に移動していく。長い戦争の中断期があって、終戦後もう一度私たちはブームを味わうことができたが、大衆はそのときすでに私たちを追いこしていた。彼らはただ甘さに飢えた舌をなぐさめるため、あるいは戦前の生活への郷愁からキャラメルを争いもとめたにすぎなかった。生活と秩序が回復され、皮膚に液がみちわたったとき、キャラメルにはもはや初期の力がなかった。私たちの商品には説得力が失われ、飽かれてしまったのである。壁の線が山頂を発したのはこの頃だ。素朴でわびしい模倣の本能が大衆のなかにあったので、私たちは戦勝者のかんでいるのとおなじ味のチューインガムを売って一時的人気を得るには得たが、それだけではとても資本の利潤活動を支えることができなかった。もう一度、なにか新しい思想と味を発明しなければならないのだ。

　こうした考えから実験室の男たちは香料の開発にのりだし、さまざまな試作品を考え、そのいくつかを発売した。エキゾチズムならアーモンド・キャラメル、消化器学ならペプシン・ガム、口腔《こうくう》衛生とむすびついて抗酵素剤入りキャンデー、また伝統の甘さをさらに強調するための塩味と甘味の二層キャラメルなど、各社とも手を替え品を替えて大衆の舌と抗争したが、いずれも大きな活動力をもつにはいたらなかった。老人たちは林立する香料瓶のなかで深い吐息をついた。

戦争中はサムソンもヘルクレスもアポロもいっせいに乾パンや携帯口糧や熱糧食をつくって剣と難民に仕えていた。戦争がおわったとき、各社とも工場を破壊されて深い傷を負っていたが、この傷は戦後のブームにこたえるための量産体制確立にかえって有効だった。各社とも旧工場をとりこわすか見捨てるかして新しい機械のための新しい工場を何年がかりかで準備、建築した。やがて混合機が回転し、煮沸釜《しゃふつがま》が泡をたて、オーヴンが熱を発散した。キャラメルは毎分六五〇粒、ビスケットは毎時一トン、ドロップは毎日六トン製造できるようになった。この洪水が私たちを走らせたのだ。ブームがおわって安定期に達したとき、私たちはおちついていられなかった。不調の兆候が起っても洪水はやまなかったのだ。

そこで販売課の焦躁《しょうそう》、製造課の徒労にくわえて宣伝課にはヒステリーが発生した。鍵《かぎ》も持たずに私たちは門のまえにたたされたのである。私たちはキャラメルを売るためにつぎからつぎへと懸賞売出しをやった。ここ数年間に子供を菓子屋に走らせたものはバターやミルクの匂《にお》いではなく、空気銃か8ミリ映写機かカメラであった。また自転車や熱帯魚や鹿皮服や野球道具であった。巨人たちはみんな雑貨商に転向したのだ。

これらの企画がすべて失敗であったとはいえない。当ったものもあるし、当らなかったものもある。壁の線は資本を流すたびに乱れ、神経質なけいれんを起した。あるときにはセールス・マンたちは援護射撃に拍手し、あるときには怒りと苦痛を訴えた。なかにはサムソンが他の二社をひきはなして独走したこともたびたびあった。しかし、特売はあくまでも一時的な需要喚起にすぎないのだ。これは一種の中毒症状である。ひとつの刺激がおわれば、つぎの刺激はかならずそれより大きくなければならない。巨人たちは必死になって新しいカードを箱につめ、新しい夢を印刷し、おたがいすきを狙《ねら》って知力と資力のかぎりをつくして格闘したのである。ひとつの戦争がおわるたびに、街と村には数知れぬ不信者、指をくわえた口、何百万人という当選もれの子供がのこされたのだが、明るい、静かな部屋からはたったひとつの声しか流れてこなかった。

「もっと売れ！」

すでにこれは宣伝ではなかった。矛盾にみちた巨額の混乱であった。

私たちに反省を強いるひとつの挿話《そうわ》がここにある。戦争中のことだった。テネシーの原野の自動車道路にそって三枚の大きなポスターがたっていた。第一のポスターでは二匹のロバが乾草《ほしくさ》の山に近づこうとしてあせっている。二匹とも一本の縄で首を結ばれているので、反対の方向にひきあうと乾草に近づけない。第二のポスターで彼らは発見する。これはおたがい力をあわせたほうがよい、ならんで歩こう。やっと乾草にありつける。第三のポスターで彼らはさらに大きな乾草の山を二匹ならんで楽しむ。それだけの絵である。説明もなければ命令もない。しかしこのポスターには目的があった。この寓話《ぐうわ》は戦時体制下の労働の連帯性を説いているのだ。サルトルは宣伝の専門家ではないが、この風景を見て、さらに深くかくされた本質をつかんだ。その直観はまったく正しかった。彼はこういったのである。

「つまりこのポスターを見て通行人は自分で結論をひきだすべきなのである。彼が理解したときは、自分で思想をつくったような気になって、半分以上それに納得されてしまう」

アメリカ人は大衆心理をつかむ天才的な着想をもっていた。彼らは宣伝資本は潜在意識に投下しなければならないと考えたのである。もちろん私たちもまた好況期においてはこの戦術を楽しむことができた。合田はデザイナーや文案家を指導して、強調や哀願や煽動《せんどう》ではなく、ただキャラメルの代表する楽しさ、甘さ、を広告した。彼は商品を売らず、感情を売ったのである。買手は広告に根づよい不信を抱いている。私たちは広告によって走らされることを彼らがもっとも不快がるということを知っていたので、廃趾《はいし》にさまよう大衆にむかって、ただ幸福を謳《うた》うだけにとどめたのである。

母親は菓子屋の店さきで、あくまで自分の意志で商品を選ぶのだという自尊心を楽しめばよい。ただそのとき彼女の薄暗い内部にアポロでもなくヘルクレスでもないサムソンの像がクッキリ明るく浮かんでくれれば目的は達せられたのだ。合田を先頭に私たちはみんなそう考えた。サムソンのデザイナーたちがもっともよい仕事をのこしたのはこの時期だった。その頃は老人たちもただ青空を切るゴルフ球の長い斜線の快感を考えているだけでよかったのである。

しかし、これはあくまで平和時の楽天主義にすぎなかった。すくなくとも私たちにとってはそうだった。不振のきざしがあらわれるとたちまち私たちは煽動家に転落させられてしまったのだ。私の机にいま散乱しているおびただしい少年雑誌の山もそれを物語っている。泥沼のような特売合戦は企業をよわめ、子供を投機的にし、ＰＴＡや婦人団体からさんざんな攻撃を浴びた。そこで去年の暮れに三社の代表者が集まって自粛協定を結んだのだが、年が明けて一月になるとふたたび不穏な噂《うわさ》が流れはじめ、協定はたちまち拘束力を失ったのである。私はまたぞろ夢の開発を命じられた。

二月に入ってから私は調査を開始した。私は集められるだけの少年雑誌や単行本をかき集め、漫画から偉人伝にいたるまで、あらゆる子供向きの読物の性格を分析して表をつくった。また、遊園地や漫画映画や児童画展覧会や空地にでかけ、子供がなににもっとも夢中になっているのか、彼らの身ぶりや叫声を朝から晩までしらべて歩いた。たとえ企業がヒステリーにおちても私はできるだけ自分の力をむだにしたくなかった。勘や投機や賭《か》けは私の得意ではない。肉感の不確かさをおぎなうために私は標本の都会と地方市を選びだして子供の嗜好《しこう》と傾向を縦から横から調査した。通信社と代理店に莫大な費用が払われ、子供に関するあらゆる数字とグラフが集められた。いままでにないこの綿密さは私たちの当面する不況の深さをそのまま語るものであった。「ガンマ線人」や「ハイドロ兵団」や「ジャングル健ちゃん」などに私が没頭しているかたわら、合田はせっせと玩具屋《おもちゃや》やスーヴニール・ショップを歩いて、さまざまなガラクタを買ってきた。宣伝課の部屋はたちまち玩具の倉庫となってしまった。壁にはガン・ベルトと二挺拳銃《にちょうけんじゅう》とガロン帽がかかっている。床には無線誘導のトラクターが走り、ロボットが歩きまわっている。机のうえには熱帯魚の水槽と模型船、合田はそれらのものを手あたり次第に買ってくると分解したり組立てたりして綿密に検討した。彼は夢中になると床に顔もすりつけんばかりにして無線自動車を走らせた。

彼はアメリカ製の拳銃の玩具に一家言をもっていた。それは角製の柄に拍車の印が入り、どっしりと重く、本物そっくりで、引金をひくとキッチリ撃鉄があがって輪胴が回転した。弾丸がでないというだけである。彼は惚《ほ》れぼれと眺めていうのだった。

「こいつは銃身が長い。ワイアット・アープ型て奴だ。気に入ったな。この誠実さだよ。大人が子供のために親身になって考えてやったということだよ。どうせ懸賞は五〇万人か一〇〇万人に一人しか当らないんだ。せめてこれぐらいのものを作ってやりたいね」

彼は、しかし、西部劇に目をつけているわけではなかった。数字の調査は私にまかせて、彼は洋書店から科学小説や未来物語や宇宙漫画を大量に買いこんだ。彼はそれを一冊も読まず、挿画《さしえ》や写真や図だけを切りぬいた。外国のものだけではなく、日本の少年雑誌からも宇宙に関する絵ならなんでもスクラップした。空想映画となると彼は封切初日にでかけ、見おとした分はどんな遠くの場末もいとわず追いかけていった。その動静をよこで見ていて、私にはおよその見当がついた。彼は宇宙服に目をつけたのだ。宇宙帽《スペース・ヘルメット》や宇宙銃《スペース・ガン》はまだ日本で売りだされていない。どこの玩具屋でも手に入らないのだ。彼の秘蔵する厚いスクラップ・ブックには宇宙服の奇妙な下図がいっぱい書き散らされていた。

さして有名でもなく美人でもない京子を売りこむには自分の不利をのみこんで合田は軽薄なトリックを弄《ろう》したが、宇宙服のときは数字と資料の正攻法で重役とたたかった。もっとも、これはあらかじめ彼に余裕があったからだ。その会議は京子を発見する一月《ひとつき》まえにおこなわれた。この会議に私は発言権をあたえられていなかった。私はただ報告し、地図を提出しただけだった。合田がそれを利用し、自分の目的地に漂流者をみちびいたのである。おなじ課にいながら彼は私となんの事前の打合わせもしなかった。よほど自信があったのだろうと思う。

私は調査の結果を読みあげた。テレビとラジオの子供番組でもっとも聴取率の高いものはなにか。少年雑誌にもっとも掲載量の多いのはどんな読物か。どんな映画がいちばんヒットしたか。その性格のどの要素が子供をうごかしたか。私はさらに地下室や飛行場や峡谷や空から子供たちの英雄、超人、偶像を狩り集めて老人たちに紹介した。私の報告がおわると、さてなにを懸賞につけるかで議論が百出した。重役会議がまるで玩具の品評会であった。野球ファンの重役はユニフォーム一式をもちだし、科学趣味を主張する重役は顕微鏡をあげ、釣道楽の男は投網《とあみ》を投げ、婦人団体をおそれた一人は出版社とタイ・アップして子供百科全書を考えた。しかし、どの品もいままでどこもやったことがなく、また、ただ珍奇さだけでなく確実性があり、たとえ射倖《しゃこう》的でも健康なもの、という条件をすべて満たすことは無理だった。合田は重役たちが議論しあうのを静かに眺め、疲労がはびこるのを根気づよく待った。彼は私の報告を聞いているうちに自分の予想が裏書きされたことを知って、すっかりおちついていたのだ。

いよいよ意見をもとめられると彼はたちあがり、何冊ものスクラップ・ブックを重役たちにまわした。彼は宇宙服の細部を説明し、また、どれほど宇宙物語が流行しているかを立証するために私をたたせた。私はあらためて書類をしらべ、子供の新聞や雑誌や、ラジオ、テレビ、映画などに占める宇宙物語の比率を読みあげて着席した。老人たちのしめした沈黙は効果と考えていいようであった。

宇宙帽《スペース・ヘルメット》、宇宙銃《スペース・ガン》。これはアメリカの子供には常識的な玩具だが、日本の子供は漫画でしか知らない。まずその新奇さ。また、近く新聞社は宇宙展覧会をひらいて人工衛星やロケットの知識をひろめるキャンペーンを計画しているし、ディズニーの宇宙映画も封切られる。これらとサムソンがタイ・アップすればずいぶん宣伝費が助かり、効果もあがるのではないだろうか。子供の射倖心をあおって百害あって一利なしという世評に対しては末等当選者の数をぐっとふやして展覧会やプラネタリュームに招待するという案も考えられる。また、特売期間三ヵ月中、子供の新聞や雑誌に広告としてではなく宇宙物語を提供してやれば、父兄は好感を持つのではなかろうか。物理学者と小説家を協力させたら、なにか科学的でそのうえ読物としてもおもしろいものができると思う……というようなことを合田はしゃべった。

「……まあ、そういうわけで、この企画は一見突飛なようで、案外確実性があるんやないか、当るんやないか、とも思いますのんやが……」

彼は余裕たっぷりに言葉をにごして腰をおろした。例の論法だと私は思った。自説に一〇〇パーセントの自信を抱き相手に賛意を強制しておきながらさいごにヒョイと肩をはずす。うまく考えたものだ。彼は演説はしたが断定したわけではない。責任はあくまでそれをみとめた者にあるのだ。これはぐちっぽい老人たちがあとで不首尾のときにいいがかりをつけてくることを防ぐ効果をもつはずだ。なにげなくにごしたその言葉尻《じり》には伏線が張られているのだと私は感じた。

重役たちは、はじめのうちはアイデアの奇抜さにとまどってスクラップ・ブックの絵を眺めていたが、私のあげる各種の数字や合田の解説を聞いているうちに心がうごいたらしい。やがて一人がたずねた。

「この帽子はなにでつくるんだい？」

「プラスチックですな。真空成型より射出成型でやったほうが上りはいいように思います。業者に見積りをとらしましたんや」

合田はそういってプラスチック成型業者からとった概算見積書の伝票を重役にわたした。私はその手まわしのよいのに呆《あき》れた。ほかに玩具製造店や作業衣業者などからも彼は見積りをとっていた。

「このなんとかヘルメットについてるマークは合田君が考えたの?」

「そうです。『少年グラフ』のガンマ線人と『スペース・ファン』のミスター・コメットちゅう奴、それをくっつけましたんやが……」

「サムソンのマークに変えたらどうだい?」

合田は頭をかいて非をみとめた。

「俺は疑問だと思う。アメリカの子供が喜んでいるからといってそれがそのまま日本の子供に受けるかどうか、そこにちょっとひっかかるね。どうだろう?」

なかに一人そういう質問を発する男がいた。この声はただちに合田のあげる宇宙物の流行度の数字とそれに賛成する大多数の重役たちの声で消されてしまったが、私の心にはするどいものとしてのこされた。その日の会議の後半は話題が合田の案に集中した。結論が決定されたわけではないが、大勢はほぼそれにきまったようであった。宇宙展覧会とディズニー映画と連載物語の案をさらにくわしく検討したうえで具体案を一週間以内に決定しようということで会議は解散した。

これで三社の紳士協定は破棄されたわけであった。その日の夕方に私はアポロもヘルクレスもおなじように衝動に流されたことを知った。いずれも六月中旬に前後して特売を開始するという。合田は重役室から情報メモをもらって帰ってきた。彼はその紙片を私にわたすと回転椅子《いす》に音をたててすわった。

メモにはその日まで動静の知れなかったアポロとヘルクレスの特売計画の概略が記されていた。どこから情報がもれるのかわからないが、これでは今日の私たちの会議も知られてしまっているだろう。いずれにしても外交辞令や偽善はおわったのだ。私はメモを読んだ。似たようなものだと思った。ヘルクレス製菓はさんざん考えあぐねたあげく、動物を懸賞につけることを思いついたのだ。ポケット猿やモルモットやリスの名前があげられている。私はおどろかなかった。生きた動物というのは魅力だが、宇宙服とくらべて幻想か実物かの相違があるにすぎない。やっぱり苦しまぎれだと思った。

ところが、つぎにアポロ洋菓の案を見たとき、私はハッとして思わず紙片を見なおした。そこにはたった一行しか記されていなかったが、彼らの計略の性質を知るには充分すぎるほど充分だった。

「**特等　小学校から大学までの奨学金**」

私は顔をあげた。合田はだまって模型飛行機をいじっていた。私が見てもふりかえらなかった。つまずいたんだなと私は思った。彼の沈黙を私は苦痛と受けとった。アポロの発想法はまったく卓抜だった。彼らは子供相手の戦争に見きりをつけて、ハッキリ母親に訴えることを決意したのである。子供の夢ばかり追いまわしていた私たちの盲点を彼らは完全についたようだ。サムソンは心臓に一撃を受けたのではなかろうか。

「やられましたね」

私は合田に声をかけて紙片をもどした。彼はタバコに火をつけると、深く息を吸いこんで、うなずいた。私は吐息をついて暮れなずんだ窓を眺めた。夕方の駅前広場のどよめきがガラスをふるわせていた。苦しい競争になるだろうと私は思った。これまでに私たちはあまりにもしばしば〝当らない懸賞〟によって不感症を流行させすぎてしまった。それは事実である。子供も親もいまは夢に疲れている。彼らは新聞でアポロの甘い宣言を読んでも、いまさらなにもおどろかないにちがいない。しかし三社の宣言をならべて比較し、子供にキャラメルをねだられたら、さびしい微笑を浮かべながらも両親たちはアポロをとりあげるだろう。たとえ子供にねだられなくても母親はこっそりもう一度たちあがるにちがいない。それだけの説得力を彼らの案はもっていると私は思った。

合田は不興げにだまりこくって、ジェット機のマークにセメダインをつけ、翼に貼《は》ってたんねんに皺《しわ》をのばした。

「アポロの社長はクリスチャンでしたね。むかしウィスキー・ボンボンやババールを製造禁止したとかいうじゃありませんか。これにはそんな影響もあるんじゃないですか？」

ババールはラム酒にカステラを浸したものである。禁酒の宗旨からアポロの社長はむかし社員のすすめを蹴《け》ったという事実がある。私はそれを指摘したのだ。合田は夕バコに目をしかめて頭をふった。

「そうじゃないだろう」

彼はにべもなく私の手をはねつけた。

「ウィスキー・ボンボンはキャラメルほど売れないんだ。だからつくらなかったのさ。それまでのことだ」

彼はそういいすてて、ようやく模型から顔をあげた。肩をおとし、疲れた目をしていた。午後の会議の綿密さと精悍《せいかん》さはいまの彼のどこにもなかった。口調をかえて彼はつぶやいた。

「まったく、してやられたね」

彼は銀髪をかきあげ、目じりの皺に苦笑をきざんだ。うなじがとつぜんやせほそっただよい、どよめいてやまなかった。自動車が走り、電車がきしんだ。

私たちはしばらく黙ってタバコをふかした。室内には群集の足音がこだまとなって

「知恵のある奴がいる」

たように見えた。

「一歩ぬかれたことはたしかですね」

私はタバコの灰をおとしていった。

「しかし大差ないじゃありませんか。どうせ一〇〇万人に一人しか当らない」

合田は頭をもたげた。彼は真意をさぐるような用心深いまなざしで私を見た。

「あたりまえだよ。俺たちは育英会じゃない」するどくいいきって彼はたちあがると

タバコをおとし、靴でふみにじった。気がついたときは早くも背をのばし、肩を張っ

て、完全に回復していた。

「それが試合のルールなんだ」彼は力にみち、おだやかな微笑を浮かべ、言葉は刃の

ようにつめたかった。

三

ポスターの効果を私たちは〃目の醜聞《ヴィジュアル・スキャンダル》〃と呼んでいる。人びとは広告の色彩と声と文字に荒らされて象皮病にかかっている。手のつけようもないほどその肌は不信と疲労で厚ぼったい。しかし中毒症状の常として、おどろくほど敏感なのだ。不快なものは反射的にしりぞける。常識的なものは受けつけない。私達は瞳《ひとみ》とたたかわねばならないのだ。さまざまな刺激に慣れきってにぶくなった、そして辛辣《しんらつ》な瞳に、いきいきとしてはみだした醜聞を感じさせなければならないのである。

過去何年かのおびただしい仕事をふりかえって、私たちは今度のポスターほどの反響を受けたことはかつてなかった。合田はプラスチックの成型工場に毎日通《かよ》って現在の技術ではそれ以上のぞむことができないような宇宙帽をつくり、それを京子にかぶらせると、虫歯をみせて笑うことを命じたのである。春川がそれを演出して、写真をとった。合田はこのポスターであらゆる約束を無視して成功をおさめた。まず第一の常識はキャラメル会社の広告なのに虫歯を強調したこと。第二は京子が美少女でもなく有名スターでもないこと。女の子に男の子の玩具《おもちゃ》をもたせたこと。ポートレート作

家の写真をそのまま商業写真として使ったことなど、このうちのたったひとつの条件
だけでも窒息には充分すぎるほど充分な常識の力があった。事実、合田も不評判だっ
たときに重役陣から食う反撃を打算して、京子のポスターを進行させるかたわらひそ
かに少年スターを使ったポスターも準備することをおこたらなかった。しかし、それ
が刷りあがったときには、すでに一歩さきにでた京子が圧倒的な人気を得ていたので、
結局使わずじまいだった。

　人間は人間の顔に興味を抱く。どんな人間でも顔にはドラマがある。強弱の差こそ
あれ、かならずドラマをもっている。その訴求力はなにものにもまさってつよいのだ。
だから演出と印刷によって生身の顔よりさらに個性を増す、そんな顔を選びだしてポ
スターにしなければならないというのが合田の持論であった。彼の感性は一貫してい
た。はじめにガラス窓のむこうの陽射《ひざ》しのなかで笑っている京子を発見した瞬間から
彼はレンズと印刷機と春川の演出力、この三つの関係だけをとおして彼女の顔を計測
していたのである。

「あれはどんなに印刷屋の修整工《レタッチ・マン》が失敗しても生きのこる顔なんだ。しかし、いく
らガタロだって、ただニタリと笑っただけじゃ、見られたもんではない。春川だから
こそ生かせたんだね」

合田はそういって説明した。私たちはさまざまな批評を聞いたが、そのほとんどすべてに共通なのは、若わかしさ、新鮮さ、意表をついた表情、類型のない魅力というようなことであった。これは『オオ、ジュニア！』にむけられた感想とおなじものである。人びとは京子とその虫歯を見て、キャラメルの害を考えるよりさきに迫力を感じたのだ。そこにある貧しさと若さと笑いはあくまで大衆のものだった。その親密感がまず迫力を支えたのである。さらに合田の功績は京子によってキャラメルをキャラメル以上のもの、ただの嗜好品《しこうひん》としてではなく、なにか新鮮な感動をさそう生活必需品として人びとに意識づけたことにあった。味覚の古さを彼は視覚の新しさでよみがえらせたのである。私たちは京子をいたるとこに送りこんだ。壁や駅や菓子屋や劇場や動物園で彼女は笑い、たまげたような身ぶりで人びとの微笑をさそった。

ポスターは『オオ、ジュニア！』より一ヵ月後に街を飾った。それを見てオタマジャクシを飼っていた少女をファッション雑誌の編集者が思いだし、合田はいくつもの電話を受けた。彼は京子をつれて出版社を歩きまわった。京子は彼に智恵を借りて、自分の写真に春川の推薦状をそえた、三〇通ほどの自己紹介状を雑誌社やモード写真家にあてて発送した。三週間めに彼女はもう会社に勤める必要がなかった。服飾雑誌やファッション・ショウが彼女を追いまわし、呼びつけて、ポーズを命じた。いつでもどこでも彼女は合田と春川に教えこまれた表情をし、型としてそれを使って成功した。ポスターの効果はこういうことで知られるものではないだろう。あくまでも大衆の潜在意識にどれほど浸透し得たかが問題であるはずだ。しかしこれは厳密にいって測定不可能なのである。特定の標本人の反応を分析して私たちは部分から全体を類推するほかないのである。あとは統計学の計算作業とその結果の数字を信じておくだけなのだ。ただ、京子自身の知名度を高めることはポスターへ群集の視線をひきつける有力な武器だったから、合田は彼女に援助を惜しまなかった。彼はきびしい拘束にみちた専属契約書を彼女と交わし、ショウや雑誌にでることはいくらでもかまわないが、同業他社はもちろん、他のいかなる業種の商社でも、広告にはいっさいでないという旨《むね》の約束を彼女に誓わせた。その苛酷《かこく》さを彼は多額の専属料で補償した。そして彼女の成功を慎重に見きわめてから、新聞、雑誌はもちろん、ラジオ、テレビ、チラシなど、あらゆる媒体に彼女の顔と声を使った。

京子はオタマジャクシと、くたびれたボン・サックを忘れた。デニムのズボンや破れかけたサンダルをぬぎすて、髪をオキシフルで染め、コーセットのたがの味をおぼえ、ガムはかんでも自動包装機は二度と思いださなかった。彼女は駅前広場から遠ざかり、満員電車の男の筋肉の固さを忘れた。ライトを浴び、レンズにしのびこみ、揮発性の抒情《じょじょう》でたっぷり味つけしたワルツにのり、薄暗がりにひしめく女の瞳と体臭と拍手を呼吸した。彼女は舞台にでるとぎらぎら光る川のなかで笑い、熱い埃《ほこ》りを吸いこみ、無数の小さな渦を巻きつつ歩いて、会釈《えしゃく》して、消えた。彼女の名はまたたくまに十代少女のあいだにひろがり、事務所でも喫茶店でも、いたるところで暗誦《あんしょう》された。

彼女がはじめてファッション・ショウにでた夜、私は合田にかわって彼女を食事にさそった。食後のコーヒーを飲みながら彼女はいろいろ自分の今後の計画を話し、ジャズが勉強したいといった。ジャズは年来の宿願らしく、彼女はくりかえしくりかえしその希望を語った。私が英語の必要を説くと、彼女は字引が一冊ほしいといった。そこで私は彼女を料理店からつれだし、散歩がてら書店に入っていった。書棚には受験用の豆字引からオックスフォードまでがずらりと金文字をならべていた。私はそれを一冊ずつぬきだし、頁《ページ》を繰って、特徴をいちいち説明して聞かせ、値段とにらみあわせたらよいといった。すると彼女はしばらく本の山をまえにして考えこんだあげく、途方に暮れたような顔をあげて聞いたのである。

「ねえ、英和と和英って、どうちがうの？」

彼女は声をひそめ、まじまじと大きな目をみはって私を見た。あっけにとられて私は手の本をおいた。彼女はほんとうにその区別がわからないらしかった。

「中学校でなにをしていたんだい？」

ようやくたちなおって反問すると、ふいに暗い表情が彼女の陽気な顔をかすめた。

「いらない」

とつぜん小さく叫ぶと彼女はクルリと背をむけ、そのまま店をでていった。気のついたときはタクシーにさらわれて消えてしまっていた。

つくづく彼女の出身階級の暗さを私は思わせられた。やっとはいあがりかけた足をひっぱるようなことを私はしたらしいのだ。彼女の小さな胃が傷の渋さでけいれんするのを私はありありと感じた。本を一冊ずつ書棚にもどすと私はカタカナのルビをふった入門者用の豆字引を一冊買った。楽器店で初級の語学練習盤にそれを包ませると、店員に私は京子の住所をわたして、発送をたのんだ。

特売戦は予想どおり六月に入ってからはじまった。発作の陽気な叫びが新聞を飾った。各社とも苦痛と焦躁をにぎやかな楽天主義と幻想でかくしていたが、それでもどことなく不入りな芝居小屋の入口で味わうとげとげしさとさびしさが感じられた。とつぜん子供のまえには空と森の世界が出現し、母親や父親は慈恵の表情を浮かべた巨人を苦笑とまぶしさのまじった表情で仰いだ。

まず、サムソンは新聞を空想でみたした。特等、宇宙旅行服一式。一等、帽子《ヘルメット》と銃。二等、キャラメルをつめたロケット。三等、希望によりプラネタリュームかディズニー映画に招待。なお期間中はキャラメル一箱で宇宙展に無料招待、というのがその内容だった。ヘルクレスはこれに対して正面から挑戦した。彼らはポケット猿を先頭にリス、アンゴラ兎《うさぎ》、モルモットの順で賞品をならべ、期間中は動物園で子供劇場を開催するというのだ。例によってキャラメル一箱御買上げ毎《ごと》にである。そのプログラムは『ドリトル先生アフリカゆき』、『蜜蜂《みつばち》マーヤ』、『ジャングル・ブック』など。この二社はたがいに航跡を追いあい、四つに組んですきを狙いあった。

これにくらべるとアポロの声ははるかに説得的で慎重だった。彼らは等級をわけず、ただ奨学金を一〇名の当選者にあたえる、というだけにとどめた。公正を期すために彼らは『アポロ育英基金』という法人を新設し、奨学金は毎月当選者にそこから給付する旨を声明した。のみならず、彼らはこれが射倖《しゃこう》心を対象とした一時的キャンペーンではなく、好況不況にかかわらず毎年開催すると宣言したのである。そのニュースを見て合田は歯がみしてくやしがった。

「偽善者め！……」

彼らは新聞を感嘆符や笑顔で飾らず、『おかあさま方へ』と題する長文のメッセージを発表しただけだった。そのメッセージのなかで彼らは神経質なまでにこの企画が特売ではないことを弁解し、強調し、アポロの健在を告げて幸福への門を開いてみせたのである。

反応は顕著だった。あらゆる婦人団体、教育機関、宗教法人、数知れぬ投書者がアポロを讃《たた》えたのである。サムソンとヘルクレスは完膚《かんぷ》なきまでに叩《たた》かれた。『グッとくるのヨ、グッとくるんだ』や『早く、そう、いますぐお菓子屋さんへ!』などのなかにある軽薄さ、露骨さ、けたたましい楽天主義が主婦たちの手で掘りかえされ、ひねりまわされ、アポロと比較されて、二人の巨人は満身に傷を負った。アポロは期待した層から期待した声を得ることができた。彼らは子供に媚《こ》びず、大人に媚びたのである。子供は投書することを知らない。私たちはまったく不利だった。

たちあがりざまにこうして強烈な一撃を浴びはしたものの、全体として見ればサムソンもヘルクレスもヒステリーの泥沼のなかで全身的なたたかいを敢行した。六月の街には声としるしがあふれた。私は調査の仕事をやめ、宣伝課のさまざまな仕事であちらこちらに走った。新聞につづいて宇宙服は空にあらわれた。巨大なアドバルーンが公園と動物園の上空にあげられ、夜になると灯がついた。サムソン・ビルの広場の中央には像がたった。合田はサンドイッチ・マンをやとい、宇宙服を着せて、台石のうえで彫像のポーズを命じたのである。展覧会の会場や各催場の入口でも人びとは未来旅行者から会釈を受けた。電光ニュースが縦横に走り、ラジオは京子の感嘆の声をつたえた。私たちは宣伝車に賞品を積みこみ、菓子屋の店頭に一組ずつ見本に配った。日曜日になるとヘリコプターがチラシをまいた。日光にキラめき、靴に踏まれ、土に吸われながら京子は笑った。ただちに彼女の対抗者があらわれた。ヘルクレスはプロ・レスの選手を抱きこんだのである。彼らはアイデアに窮したあげく選手に商標と寸分たがわぬ恰好《かっこう》をさせたのだ。「栄養豊富、滋味強壮」の力士は豹《ひょう》のパンツをつけ、革のサンダルをはき、手にポケット猿をとまらせて野外劇場の舞台を歩いた。拍手をさらに大きくするために彼は舞台をおりて、日曜の小さな観客のあいだを歩きまわり、キャラメルを一箱ずつ配った。彼は全身にオリーヴ油をぬり、青銅像のようにたくましかった。彼の体はちょっとした身動きにもすぐさま線が走り、筋肉が隆起し、血管が機敏にふくれあがった。彼から私の受けた印象は無用の強暴さであった。身ごなしのいんぎんさや満面の微笑にもかかわらず彼は野卑で、不具の旺盛《おうせい》さを発散していた。日光のなかで彼の姿は奴僕《ぬぼく》のようにかなしく見えた。

レスラーと『ドリトル先生アフリカゆき』を見たあとで私は遊園地を歩いた。ここはヘルクレスの領土だった。ベンチ、掲示板、塵箱《ごみばこ》、売店、いたるところにヘルクレスの名と商標がかかげられ、京子の微笑はひとつもおちていなかった。彼らは遊園地の入口と野外劇場の舞台袖《そで》に懸賞の小動物や小鳥を展示していたが、それには子供が黒山のようにたかり、ちょっとした小動物園の観があった。さがしてみたが、キャラメルの空箱は散乱しても、賞品のカードは一枚もおちていなかった。日光にむれ、埃りにまみれ、頭から藁《わら》のような匂《にお》いをたてて子供たちははしゃぎまわっていた。

回転木馬や猿ガ島にまじってアメリカ式の風車や蛸《たこ》ノ足が初夏の積乱雲を背景に陽気な祝祭気分を空と地上にふりまいていた。ウォーター・シュートのところで私は足をとめた。暑さにうだった子供や大人が長い列をつくって順を待っていた。二隻《せき》の箱舟が入れかわりたちかわり急坂をのぼっては池に突進する。箱舟の甲板には案内人が一人ずつたっていた。二隻のうち、一人は若く、一人は中年近かった。私は青年のほうに興味を抱いた。その仕事に熱中している様子が私の目をひいたのだ。

箱舟は池にとびこむと竹竿《たけざお》にあやつられて漕《こ》ぎもどされ、台にのって山頂に運ばれる。山頂で子供たちがのりこむと、青年は水をみたしたバケツを二コつみこみ、甲板にたって笛を吹いた。箱舟が急坂を突進しているあいだ彼はへさきで体をかがめ、両手のバケツの水をすこしずつ線路にこぼした。たいへんな速度である。彼のズボンは旗のように音をたて、風がうなった。そして箱舟が水にとびこむ瞬間、彼は二コのバケツを空高くさしあげて跳躍した。

これは反動をさけるためにやむを得ない運動らしい。中年の案内人もやっぱりとびあがるのだ。ただしこの男のはショックをさけるためだけの運動であった。さもめんどうげに甲板でちょっととびあがり、すぐ疲れた顔をして箱舟を岸に漕ぎよせる。ところが青年は足にドン・コザックのバネをもっていた。彼はバケツを捧《ささ》げて跳躍することもあれば竹竿をひらめかすこともある。ときには威勢よく両手を空でうったり、足を二度、三度叩きあわせるというようなことも試みた。彼はさして観客から拍手を浴びることもなく、ただ黙々と何度もそれを倦《う》まずたゆまず繰りかえした。

青年の勤勉さが私の心をうごかした。彼には僧帽筋もなければ二頭筋もない。しかしその運動は簡潔で、力にむだがなかった。レスラーよりも彼は子供を知っているかもしれない。要求されたり、強制されたりしたわけではなく、あくまで彼は自分自身の要求から子供たちに仕えているのだ。子供がひきあげてしまったあと、番小屋で彼は相棒から徒労を冷笑されてもけっして反抗しないだろう。翌日になればふたたび竹竿をかまえて山頂にたつだけだ。彼のやり方は幼稚だが正しい、と私は思った。拍手は受けないが、子供の薄暗い内部で水しぶきがたつときはきっと呼びもどされているだろう。私にも合田にも彼の勤勉さはあるかもしれない。しかし彼ほど力をうまく使っているかどうかは、自信がないのだ。彼の動作の単純さが私の感動をさそったのは年来の疲労の意識のためであった。遊園地を去るとき私はしきりにそう思いたがっている自分を発見した。

　合田はだんだん衰弱していった。毎朝疲れた顔をして会社にやってきた。春川とおなじくまが彼の目のしたにも浮かんできた。はじめは影だったが、いつかしみとなり、いまではクッキリ傷としてついている。彼の力は京子のポスターを頂点として開花したが、それ以後は奔命に浪費されるばかりだった。あまりに忙しすぎるのだ。模型に車輪一つくっつけるひまもない。彼は毎日展覧会にでかけ、宣伝車を指揮し、アポロやヘルクレスの行動をくまなく監視して対策を考えなければならなかった。デザイナーが広告原稿をもってくると写真や文案やレイ・アウトを検討するし、夜になればテレビを眺め、ラジオを聞いて京子の演技と声を計算しなければならなかった。控室には新聞社や雑誌社の広告部の連中がつめかけ、面積《スペース》や頁を売りこもうとして血眼になっていた。彼はその男たちと一人ずつ大阪弁でわたりあい、すかしたり、おどしたり、とぼけたりして値切りたおした。彼らがお世辞と実感を半分ずつまじえて京子のポスターを讃え、合田の非凡な目をほめそやすのを、彼はぐったり椅子《いす》によりかかって聞き、話がおわったとたんに微笑へ短剣をつきさすのだった。

「おれは活動屋じゃねえ」

にべもなくはねつけた。もちろんこれはさんざんかけひきして商談が成立したあとである。談合のまえならよこで見ていると胸がむかむかしそうだ。値切りたい一心から彼は目を皺《しわ》だらけにしてお愛想をふりまいた。

「やっぱりええことというてくれはるなあ。それを早う聞きたかったんやがな。あんたが男前に見えてかなわんがな」

彼はそういって疲れきった体を起し、たじたじしている相手の肩を抱かんばかりにして撫《な》でたり叩いたりするのであった。

こんな口さきのマキャベリズムが金の動きにどれほどの効果をもつものか、私は疑問である。結果から見れば合田はいつも商談を有利にみちびき、おどろくほどの安さで面積や時間を買いとったが、彼の個人技がそのうちどれほど占めるのか、私には見当がつかない。新聞社や雑誌社やラジオ会社は一般的不況と夏枯れとテレビの大スポンサー吸収に苦しんでいるからこそ合田のまえで血を流すのだ。合田の資質はこの大きな底流と正面から対立すればひとたまりもなくつぶれてしまうだろう。

疲労は合田だけではなかった。工場でも事務所でも特売開始以来仕事が殺到したので連日残業につぐ残業がつづいた。老人たちは数字をあげて窮状を告白し、組合と仮協定をむすんで労基法の制限いっぱいの過勤作業や深夜作業を哀願した。そのために工場では女工が脳貧血を起してたおれ、事務所では経理係員が電気計算機にうつぶせ、セールス・マンはスクーターの操作を誤って肋骨《ろっこつ》を砕いた。血沈をはかると要注意者がぞくぞくあらわれたし、衛生室には神経安定剤をもとめる男がふえた。子供の夢のために大人たちは眠れなくなったのだ。私は街を歩いていて奇怪な経験を味わった。その日は物理学者を訪問して少年雑誌に連載中の宇宙物語について打合わせをした帰り道であった。私は電車道をわたって広場に入ろうとしていた。信号が赤だったので交叉《こうさ》点《てん》の歩道にたちどまった。のどがかわき、足がだるく、私の額は埃りを厚くつんでいた。

　夕方だったので舗道にはガソリンの匂いとまじって薄青い夜がただよいだしていた。自動車の流れが金属とガラスの川のようにみえた。さまざまな型の車がおしあい、へしあい、甲高い悲鳴をたてながら疾走していた。するとそこへソフト帽がとんできたのだ。それは風にあおられて道を走った。ひしめく自動車の車輪を危くよけてとまったところを見ると、埃り一つない、ま新しい明灰色のソフト帽であった。やわらかくて軽く、めざましいほど新鮮な肌をしていた。タールやガソリンやボロぎれなど、道のしみがすべてその一点に吸収されたかと思うほど、それはあざやかだった。しかし、私が息をついたつぎの瞬間、一台の自動車が目のまえをかすめた。帽子はあえなく車輪のしたにつぶされた。その瞬間私ははげしい滅形を感じたのだ。車の去ったあとには一枚の平たい布が道にしがみついているばかりだった。

私は顔をあげてあたりの群集を眺めた。人びとは夕暮れのなかを平然としてざわめきつつ歩いていた。私は異常な領土にいるらしかった。私にとってそれはひとつの事件だったのだ。私には帽子がつぶされても叫声をたてず、血も流さなかったのが理解できなかった。どうして骨の砕ける音が道にひびかず、自動車はとまらず、警官が駈《か》けつけないのだろう。たしかに異変が起ったのだ。私は力につらぬかれ、体の奥に崩壊を感じ、ほとんど圧倒されそうになったのだ。私の皮膚からぬけてその力は街のどこへ消えたのだろう。街は暮れて埃りにみち、さわがしく、強固であった。私は広場を歩きながら、さまざまな人や車や建築物や記念碑が体内を疾過するのを感じた。自分の衰弱の深さに私は抵抗のしようがなかった。

四

そのことのために私たちの肩の荷がおりることはなにひとつとしてなかったけれど、

興味ある事件が発生した。巨人の一人が戦線を後退したのである。三人のうちでもっとも才智に長《た》けたアポロが予想外の破綻《はたん》をおこして失脚したのである。そのことのために彼らは大衆から不安と恐怖を買うこととなった。

七月のある日、一人の小学生がトンボ釣りから帰ってきて昼寝をした。夕方、母親がおこしにいくと彼は意識を失っていた。顔が青ざめ、くちびるをかんだ歯は乾いていた。医者は薬品中毒だといった。中和剤の注射で少年は回復したが、はげしい頭痛を訴えて床をはなれることができなかった。しらべてみると、ぬいだズボンのポケットからアポロのドロップがでてきた。

これが発端だった。母親にかわって医者が新聞の調査室欄に投書した。彼の抗議書が新聞社に配達されたとき、おなじ日の午前中に編集部はすでに類似の症状を訴えた手紙を何通も受けとっていた。ただちに調査が開始された。記者はドロップをもってアポロに走った。アポロはドロップの製品番号をしらべて製造の日附を知ると工場に自動車をとばした。ドロップの原料は水飴《みずあめ》と甘味剤と香料と食用色素である。工場の技師長は問題のドロップに用いた原料をひとつずつ微細に分析し、食用色素に顕著な反応を発見した。

アポロはその日の夕刊で謝罪文を発表し、薬品検査の不行届を率直に認めた。彼らの公開した食用色素の分析表は工業試験所のものと完全にデータが合致していた。おそらく徹夜の重役会議がその夜ひらかれたのではないかと思う。翌日の朝刊で彼らは販売店からの回収が完了するまでアポロ・ドロップをぜったい買わないようにという警告を発表した。その日アポロのトラックは東奔西走して問屋や小売店にのこっているドロップを回収してまわったが、すでに手遅れであった。その日の夕刊から以後二週間ほど、各紙とも朝夕刊の二面、四面は苦痛と悲鳴と呪咀《じゅそ》にみちあふれ、患者の写真と記事が満載されたのである。かつて育英基金を讃美《さんび》した人びとが手のひらをかえしたように猛攻撃を開始した。怠慢を責める非難と恐怖の声は子供新聞や婦人雑誌や週刊誌にもあらわれ、母親たちはひそひそささやきかわし、菓子店の店主は神経質になった。

事件の大規模を知ったアポロはふたたび『おかあさま方へ』と題するメッセージを発表した。そのなかで彼らは率直に事件の経過をのべて手おちをみとめ、被害者への補償を誓うとともに、今後公表するまでドロップは他社のものを買うようにといった。そのうえ彼らは誤解をさけるためにキャラメルの懸賞カードまで中止する旨を宣言したのである。キャラメルとドロップとはなんの関係がないにもかかわらずそうして自粛したいというのだ。さらに彼らは失望した母親たちに、『アポロ育英基金』は本年にかぎり全額を被害者に公平配分して謝罪料のうえに奨学金として贈与したいと申出たのである。そのメッセージが発表された夕方からアポロの宣伝活動はいっさい停止した。ネオンは消え、アドバルーンはおろされ、ラジオ、テレビのコマーシャル・メッセージがなくなり、新聞広告もなくなった。約束事項がそうして一つずつ完全に果たされてゆくのを見て合田はうめき声をもらしたまま、なにもいわなかった。

巨人の失神を拍手したのはセールス・マンたちである。彼らは最大の隘路《あいろ》がこれで打開され、市場が拡大したと考えて闘志を回復した。たださえ不景気で問屋は現金回収に苦しんでいるのだ。狭い市場は三社によっておしあいへしあい分割されている。品物は回転がにぶくて販売店の倉庫に山積みされたままだ。アポロの販売網は強力なものだが、宣伝もせず懸賞もつかないキャラメルを誰が買おう。アポロは破産したも同然ではないか。彼らはわれとみずから傷口に手をつっこんで血を流したのだ。まさに道が一つひらけたのだとセールス・マンたちは異口同音にはげましあった。彼らは急に生色をとりもどし、愛想がよくなり、部屋に笑声がみなぎった。毎週末の部内会議ではアポロの疲労状態が逐一報告され、そのセールス・マンたちがどれほどみじめな恰好で問屋に頭をさげて品をとるよう哀願しているかが、身ぶり手ぶりでつたえられた。販売員から係長に、係長から課長、部長に、さらにまた重役室へ社長室へと段階を追うごとにそれらの報告は要約され、刈りこまれ、露骨に誇張されたものとなっていった。

にがにがしい思いで私はそれを観察した。あまりに安易に人びとが弱肉強食のルールに酔っているのが私には不満だった。すでに大衆は私たちの商品から遠ざかりはじめているのだ。宇宙服やポケット猿や奨学金だけが子供と母親をひっぱっているのではないか。奨学金の望みを断たれた母親がそのまま宇宙服やポケット猿の世界に入ってこようとは到底考えられないことだ。あるいは子供にねだられて彼女はサムソンやヘルクレスに手をだすことがあるかもしれない。しかしそれはあくまでももとめられた行動であって自分の意志によるものではないのだ。少しはそれで売れるかもしれないが、大きな決定的な力はもたないはずだ。おそらく子供にねだられなければ彼女は買わないだろう。のみならず人びとは莫大《ばくだい》な資本をつぎこんで何年間も全力をそそいだ自分たちの自壊作用を忘れている。これまで私たちのやってきたことは厖大《ぼうだい》な不信者の群れをつくることだった。われとみずから傷口をひろげているのはアポロだけではないのだ。サムソンもヘルクレスも、みんなそろって自分の手で首をしめているのだ。いまさらアポロ一人がたおれたからといって自分たちが大衆のあいだにみなぎらせた不感症を忘れ、効果だけを期待するのは幻想としてもあまりに粗雑すぎるではないか。セールス・マンたちの有頂天ぶりは私にこばみようのない焦躁《しょうそう》感をあたえた。のこされたサムソンとヘルクレスはほぼ互角の力で争った。宇宙服には動物の生《なま》なましさはないが、つよい稀少《きしょう》価値があった。子供劇場は宇宙展ほど新聞の話題とはならなかったが夏休みの学童たちを大量に吸収した。私たちが新聞社とタイ・アップしたのに比し、彼らはPTAや教育委員と握手したのだ。京子は大人につよい訴求力をもっていたが、レスラーは子供の英雄だった。宇宙物語が雑誌に掲載されると、ヘルクレスはジャングル紀行で対抗、ディズニー映画が封切られるとアフリカ記録映画が登場した。

また、販売面でもしのぎを削るような抗争がくりかえされた。商品はメーカーから問屋、問屋から小売店へ流れてゆく。メーカーは問屋をおさえ、問屋は小売店をおさえなければならない。そこで子供の懸賞とおなじことが販売店に対してもおこなわれた。サムソンもヘルクレスも先を争って特売期間中の利潤を増加し、特別リベートを提供したのだ。キャラメルの一〇打箱《ダース》ごとにカードが一枚挿入《そうにゅう》された。これは金券として規定のマージンにプラスされるうえさらに抽籤《ちゅうせん》で末等一〇〇〇円から特等一〇万円までの賞金が当るのだ。セールス・マンたちは連日連夜哀訴に狂奔した。彼らは利潤を増し、リベートを提供し、賞金をちらつかせるだけでは満足できず、問屋と小売店の店主をかたっぱしから温泉に招待したのだ。サムソンは北海道に走り、ヘルクレスは熱海でおぼれた。酒がそそがれ、女が踊った。

しかしこの表面的な陽気さにもかかわらず八月に入ると不穏な情報が流れはじめた。中小メーカーが倒産しはじめたのである。彼らには懸賞をつけたり報奨金を増したり問屋を招待したりする力がなかった。しかも商品はおなじキャラメルである。問屋は滞貨を口実に彼らの品をこばんだ。窮迫した彼らは一箱でも現金にかえたい焦躁から建値を崩してまで哀訴した。夏枯れの資金難は深刻であった。彼らは息をつこうとして口をあけたはずみにおぼれてしまったのだ。一軒が値を崩すとたちまちニュースは波及し、問屋はかたっぱしから中小メーカーを叩《たた》いた。乱売、値崩れ、倒産が全国に野火のようにひろがり、私たちは新聞の自殺者名のなかに幾人かの小工場経営者の名を読むようになった。これは欲望の限定された、底の浅い市場で起る悲劇だった。かぎられた面積のなかでの陣取ごっこだった。いいかえれば宇宙帽が彼らを窒息させ、ポケット猿が彼らの動脈に歯をたてたのだ。

セールス・マンたちはもう拍手しなかった。いぜんとして招待合戦は熾烈《しれつ》につづけられたが、それは熱い鉄板のうえで踊る猫のようなものだった。酒はにがくなり、狂騒は苦痛となった。小売店の押入れには罐《かん》と箱が山積みにされ、問屋の倉庫は床が見えなくなった。そして、やがて値崩れの兆候はメーカー品にもあらわれだした。あちらこちらの小売店が金にかえたい一心からサムソンやヘルクレスのキャラメルを半額にしたり、オマケをつけて売ったりしだしたのである。彼らは倉庫で死んでいる箱をやぶり、懸賞カードだけをぬきだして小さな客にばらまいた。これは雪崩《なだれ》であった。ころがりだすと手のつけようがなかった。いくらセールス・マンが哀願説得しても店主はうなだれるか怒号するばかりで、眼に走る血管はぜったいに消えなかった。深刻なのは彼らの行為が資金繰りというよりはその日その日の生活費を捻出《ねんしゅつ》するための操作であるということだった。

こうした部分的化膿《かのう》に対する処置として問屋とメーカーは思いきった切除手術をやった。放置しておけば毒は全身にしみわたるばかりだ。サムソンとヘルクレスはこの点についてだけ完全な意見の一致を見せた。代表者が集まり、主要小売店と大問屋をホテルに呼んで、以後値崩れ、乱売をやった店とはただちに取引を停止する旨《むね》を宣言したのである。この苛酷《かこく》さに対する反撃をさけるために、彼らはすぐさま決済期限の延期を申しでた。いままでの四〇日を八〇日にするから一息ついてくれ、なお経営不振の店には一時的融資をおこなう準備もある、というのであった。宣言と提案のあとで食事がおこなわれ、パーティーがひらかれた。大広間にみなぎるつめたいリキュールの香りを人びとは吐息で殺し、ささやき声でたちまちにごらせてしまった。聞えるのはあちらこちらでひびくセールス・マンたちのうつろな高笑いばかりであった。

全国各地の支店や出張所から送られてくる報告は宣伝の陽気さにくらべ、日を追って悲観的になっていった。販売課からまわってくる報告書の売上数字と工場からくる生産数字を見くらべて合田は苦痛の表情をかくさなかった。激務に疲れて彼の目のくまはいよいよ深くなりしみが頰にまで波をひろげていた。彼は銀髪を乱し、いらいらと歩きまわり、ジェット機の翼を容赦なくへし折った。なにもいわないが必死になって体内の圧力に耐えていることは誰の目にもありありとわかった。しかし、彼はさいごまで忍耐づよく幻想を支えることをやめなかった。数字の毒を浴びながらも彼はたたかいつづけた。毎日展覧会にでかけて彼は人ごみのなかをせかせか歩きまわり、いんぎんな口調でこまかい指図をあたえた。八月の日光や埃《ほこ》りやとけかけたアスファルトにも彼は影響を受けず、白昼の街にせっせと幻想をばらまいた。私は彼のあとについて昼となく夜となく新聞社にゆき、放送局を訪問し、物理学者をたずね、幻想の細部の完成に没頭した。

ところが、ある日、サムソンは決定的な打撃を受けた。ついに問屋までが不渡手形を発行したのである。しかもその問屋は創立当時からのサムソンの僚友であった。サムソンはこれまでに何度も苦境におちたことがあったが、そのたび救済の手をさしのべたのは村田商店で、サムソン製品のほとんど一手販売権を独占しているといってもよいくらいの力をもっていた。その関係の親密さは、たがいの資本の融通や社員の交換制度などで業界に評判が高かった。

村田商店が不振という噂《うわさ》はずっと以前から聞かれないこともなかったのだが、私たちはなれてしまって、深く気にとめていなかった。そうしたことは営業部の管轄《かんかつ》に属し、宣伝課の人間にはふれることができない問題である。しかし彼らが総額一億円にのぼる負債と二〇〇〇万円に達する不渡手形の発行を発表したとき、サムソン・ビルの美しい壁は地下から屋上までけいれんした。ニュースは机と机のあいだを走り、階段をかすめ、廊下から窓からすべての部屋に流れこみ、しみこんでいった。人びとは胃に打撲傷を感じ、あちらこちらに三人、五人とかたまって不安な話を交わしあった。村田商店が難破したのは罐詰やジュースの製造に投機的な資本をつぎこんだためでサムソン製品の滞貨のためではなかったという。そんなもっともらしい情報がやがて重役室から流れだし、ゆっくりとためらいつつ最初の衝動のあとを追ってビルの各階をさまよったが、人びとはみじめな疑惑の表情を浮かべてこれを冷遇した。彼らは予感の的中したにがい満足をなめ、さんざん議論したあげく、結局は沈黙を重い足で自分の机にひいてもどらねばならなかった。合田と私がヘルクレスの子供劇場を視察して会社にもどったのは夜だった。私は玄関でセールス・マンの一人から一切の事情を教えられた。ただちに合田はその足で重役室へいった。重役室には明るい灯がつき、討論しあう高い声が廊下にまで流れていた。宣伝課の部屋で待っていると、やがて合田がもどってきた。彼は椅子《いす》へ土袋のように疲れた体を投げた。そして村田商店の傘下《さんか》の問屋を分散してサムソンとそれぞれ直取引《じか》をさせ、とりあえず借財をサムソンが肩がわりし、重役の一人が経営管理に先方へ出張することになったいきさつを手短かに話した。

「結局、罐詰なんですか、キャラメルなんですか?」

私の質問に合田は聞えぬふりをして、机の書類を一枚ずつ整理にかかった。彼は紙を破ったりまるめたりしながら、ときどきみすぼらしく肩で吐息をついていたが、ふと顔をあげて窓のそとを見ると、たちまち目を光らせて体をおこした。彼はやぶりかけた紙をそのままに椅子をたち、窓から体をのりだして夜空を仰いだ。

「灯が消えてるじゃないか」

彼の後ろから見あげると、屋上からあげた夜間用の宇宙人のアドバルーンが巨大なクラゲのように夜にとけてただよっていた。合田はすばやく窓に背をむけ、照明業者の番号を暗誦《あんしょう》しながら机の電話にいつものせかせかした足どりで戻っていった。その後姿に私は小さな感慨をおぼえた。
（一人で戦争している……）

それから二、三日して合田はファッション・モデル・クラブに電話をかけ、京子を会社に呼びよせた。彼女は雑誌社の自動車にのり、楽譜をかかえてやってきた。多忙にまぎれてしばらく私は彼女と会っていなかった。いまではサムソン提供のテレビ番組のコマーシャルに週二回出演するほか、彼女は会社に姿を見せなかった。新聞広告や雑誌広告の写真はポスターをつくったときに大量に撮影しておいたので、いちいち彼女と会う必要はなかったし、ラジオのメッセージも以前に彼女に吹込ませたテープを使って間にあわせていたので彼女がいなくても宣伝はできた。これは合田のはからいであった。彼は京子を売りだすために彼女を時間的に束縛することをあまりのぞまなかった。そのおかげで彼女はほとんどフリーのファッション・モデルとして活躍することができたのだ。彼女は契約を守って他社の広告にはぜったい応じなかったが、モデルとしてはすでにトップ・メンバーの一人であった。どんなショウのポスターにも彼女の名前は欠かせなかったし、写真雑誌や週刊誌、グラフ雑誌、モード雑誌などは表紙やグラビア頁《ページ》を虫歯の微笑のために惜しまず提供した。服飾デザイナーのなかには数少ないジュニアのタレントとして彼女を珍重するあまり、〝二〇〇万人に一人の顔〞などと呼ぶ者さえあった。

私たちはいつもの一階の喫茶室で彼女と会った。わずか二、三ヵ月のあいだに彼女はすっかりかわっていた。かけた歯のあいだにストローをはさんでジュースを吸う癖はそのままだったが、マニキュアやシャドゥや、そのほか私にはわからないさまざまな化粧クリームの薄膜のかさなりが以前のうぶ毛をかくし、へんにキラキラする層を彼女の顔につくっていた。どこをさがしても、有頂天になってせんべいをほしがった少女のおもかげはなかった。肩に肉がつき、体にはつよい敏感な線がでていたが、ライトに焼けた肌理《きめ》は意外なほど荒《すさ》んでいた。

合田はコーヒーを飲みながら彼女の近況をあれこれ聞いたあとで要件をもちだした。彼は懸賞の締切日が近づいて売上げを増さねばならぬ事情に迫られていることをいろいろと説明し、ヘルクレスに対抗するため、彼女に宇宙展の会場でキャラメルを配ってほしいと申しでたのである。

「ただし註文《ちゅうもん》があるんだ」

彼はコーヒー碗《わん》をよけて肩をのりだした。

「そのとき君に宇宙服を着てもらいたいんだ。つまり、ポスターやテレビとおなじ恰《かっ》好《こう》で歩いてもらいたいんだよ」

合田はそういって疲れた顔に微笑を浮かべ、椅子にもたれかかった。京子は目を伏せてしばらくだまっていたが、やがて肩で息をして顔をあげた。

「会期は何日ですの?」

合田はなにも気がつかず両手をひろげてみせた。

「一〇日間」

それからすぐに笑って片手をおろした。

「五日だよ。五日間でいいんだ。一〇日もとられちゃ君も困るだろうし、雑誌も困るだろう。だから五日間だけ、つきあってもらえないかな。朝一〇時から午後《ひる》は四時まで、もちろんそのあいだ休憩は充分とってもらう」

「私困っちゃった」

京子はひくいがハッキリした声で合田の話をさえぎった。

「雑誌は夜でも撮影できるからいいんですけど、レコードの吹込みは疲れると声がつぶれるので……」

「レコード?」

合田が虚をつかれたような声をあげた。京子はうなずいてテーブルのしたから厚い楽譜をだし、楽器会社からジャズを歌ってみないかと申しこまれたので、毎日スタジオに通《かよ》って練習中なのだといった。毎週テレビで顔を見ながら彼女がそんなところまで進出していようとは夢にも知らなかった合田は非をさとってうめいたが、すべては手遅れだった。つぎに彼が専属契約書をもちだして反撃にでたとき、意外にも京子は彼の顔をまっすぐ見つめ、契約書の項目をいちいちあげて、雑誌、新聞、ラジオ、テレビは約束したがサンドイッチ・マンになる約束はしたことがないと答えたのである。思いもかけぬことだったが、まさにそのとおりだった。ビジネスとして彼女のいうことは完全に正しかった。焦躁のあまり合田がこれに対して彼女を世に送りだした人間の努力を思いださせようと人情論で攻撃しなおしたのはみじめであった。京子は一言一言に耳をかたむけ、すべての結論に対してやさしく頑固な沈黙で答えた。その壁は閉じられた貝の固さをもっていた。

「よし、わかった」

合田はいまいましげにテーブルを軽くたたいた。

「専属のことはもういわない。宇宙展がおわったら解約することにしよう。しかし今度だけはどうしても泣いてほしいんだ。ジャズはそれからでもいいじゃないか」

彼は言葉をきり、聞きとれないくらいの声でつぶやいた。

「俺はいま困ってるんだ。特別のギャラを払うから、額をいってくれ」

彼はテーブルに両手をしっかり組み、うなだれ気味に目を伏せて答えを待った。京子はそんな彼の恰好を珍らしいものでも見るような、またどこか途方に暮れたような表情で見ていたが、やがて化粧バッグから小さな手帳をとりだすと、ためらうことなく数字を書きこみ、合田のまえにそっとさしだした。合田はそれをちらっと見ると、頭をもたげ、目を光らせた。

「教えられたな！」

京子はあわれむように彼から視線をそらせ、なにもいわなかった。合田は静かに手帳を裂くと、クシャクシャににぎりつぶして床へ投げた。うなだれてかみしめた彼のくちびるは明るい日光のなかでふるえていた。

私は二人をのこして席をたった。広場にでて空気を吸ってからビルにもどり、便所に入った。手を洗おうとして化粧室に入りかけると、仕切壁ごしに大きな吐息が聞えた。便所をでしなにふりかえると、京子が洗面台の鏡に額をふれんばかりにしてもたれかかっていた。彼女は目を閉じ、青ざめて、失神に似た姿勢でうなだれていた。肌《き》理《め》の荒れたうなじには私のかつて見たことのないおとながしらじらと浮かんでいた。

いつまでも彼女はそうやってうごこうとしなかった。

……その日一日、私は街にでなかった。私は彷徨《ほうこう》の必要をまったく感じなかった。すべてはおわったのだ。明るい二階の窓べりにすわって私はせっせとさいごの仕事にはげんだ。机のうえにはさまざまな破片が散乱していた。調査書や少年雑誌や宇宙服などがあった。ポケット猿がうずくまり、展覧会の万国旗がひるがえっていた。私は新聞や写真を手にふれた順からやぶってすてた。陽射《ひざ》しははげしいが、風は涼しかった。ときどき縞《しま》のように熱い埃りの匂《にお》いがまじるのを感じたが、たいして汗もかかず仕事をすることができた。

五時すぎに私は両手をおとした。広場にはうなだれた潮が流れていた。いつもの連中だった。彼らは腹をすかし、くたびれ、靴をひきずって駅にむかって歩いていった。どこからともなくプラスチック帽をかぶった男があらわれて広場の中央の台石のうえにたった。わるい彫像だと私は思った。彼にはまわりの空気や物を定着する作用がまったく感じられなかった。広場やビルや群集から、彼は川のなかの岩のようにとりのこされていた。誰ひとりとして目をあげる者もなく、足をとめる者もなかった。日が暮れきってしまうと彼は台からおりて、どこかへ消えてしまった。

群集のたえまない足音で壁がふるえ、窓がひびいた。機械がまわっていると私は思った。壁を薄緑色にぬった、明るい廃址《はいし》のなかで機械が回転をやめなかったのだ。机の上で私は子供の投影図や側面図をつくり、合田がそれで幻想を組立てた。そのために少女が笑い、輪転機がまわり、物理学者が働いた。母親は失望し、小企業者は自殺し、問屋は破産に追いこまれた。京子は売れたがキャラメルは売れなかった。街でも村でも薄暗がりで甘い匂いが腐っているのだ。三〇〇〇万円の金をつぎこみ、一〇〇〇人の事務員と工員が昼となく夜となく働いてその力はどこに消えたのだろう。私たちは無数の子供たちの薄明の意識のなかにあいまいな像をのこしただけだったのだろうか。

私はおびただしい徒労の感触を味わいながら窓べりでタバコをふかした。物音がしたのでふりかえると、合田が部屋の入口にたっていた。彼は私の顔を見てかすかな苦笑を浮かべたが、なにもいわず部屋のなかに入ってきた。彼は酔ってもいず、疲れすぎもしていなかった。彼は机のうえに麻の背広を投げ、ズボンをぬぎ、パンツとシャツ一枚の姿になった。やがてガラス戸棚をあけて彼が電燈のしたにもちだしたものを見て私はわびしい衝動におそわれた。彼は銀色のズボンをはき、真紅の巨人のマークが胸についた服を着ると

「こいつはいいや、体にピッタリだ」

そういってプラスチックの帽子をかぶってみせたのである。

「俺はこれを着て歩くぞ！」

宇宙帽のなかで彼は陽気に叫ぶと二、三回アンテナをはじき、部屋のなかをぐるぐる歩いてまわった。私は椅子からたつと、彼をそのまま部屋にのこして廊下へでた。電話で測候所に明日の天気を問いあわせる彼の高い声が私のあとを追ってきた。階段をおりるとき、それはかなしい笑声にかわっていた。暗がりを歩きながら、私はいままでに自分の力が結晶したことはたった一回しかないと思った。たった一回、小さかったがそれはひとつの高頂だった。帽子が道のまんなかでつぶされるのを見たとき、私は体を投げだしたがっていたのだ。私はあのとき自分の叫声を聞き、自分の頭が砕ける音を聞きたかったのだ。私は死んだ石のあいだからでると、にごりきった八月の夜の人ごみのなかへ、いそぎ足に入っていった。

（「文學界」昭和三十二年十月号）

裸の王様

一

大田太郎は山口の紹介でぼくの画塾へくることになった。山口は小学校の教師をするかたわら自分でも画を描いている男である。抽象派のグループに属していて、展覧会があると学校を休んでも制作にふける。太郎のときも、ちょうど個展の会期に迫られていたので、自分の担任クラスの生徒でありながら、ぼくのところへまわしてよこしたのである。学校から帰ると夜しか制作する時間がないので彼は多忙をきわめていた。

「ぼくのパトロンの一人息子なんだよ。個展がすんだら、あとはひきうけるから、それまでなんとかしてやってくれよ」

そんなことでぼくはむりやり承諾させられてしまった。

太郎と両親のことは以前にあらましを山口から聞かされていた。太郎の父は大田絵具の社長で、母は後妻ということだった。先妻、つまり太郎の実母は大田氏の不遇期に死んで、それ以後子供はないので、太郎はまったくの一人息子である。山口は担任学級のＰＴＡで大田夫人と知りあいになった。何度か会っているうちに彼は彼女をつうじて大田氏にわたりをつけ、グループ展や個展があると、ときたま一点、二点と画を買いあげてもらうところまで懇意になった。むかしから彼はそんなことにかけては機敏な男であった。

大田氏の絵具会社はさいきん急速に発展した会社である。それまでは親会社から独立した中小メーカーにすぎなかったが、いまでは強力な販売網を市場にひろげて旧勢力をおびやかしている。どこへいっても大田氏の製品を売っていない文房具店はないくらいである。ぼくの画塾で使う絵具類もぼくが自分でつくるグヮッシュをのぞけばほとんど氏の製品だ。庇護《ひご》にこたえる気持からか、山口は大田氏がパステル類やフィンガー・ペイントなどの新製品を発売するといちはやくとりあげて生徒に教室で使わせ、その実験報告を教育雑誌や保育新聞などに発表した。前衛画家としての立場から彼は新手法の紹介には熱心で、コラージュやデカルコマニーやフロッタージュなど、たえずなにか新奇な実験をやって話題を投げていた。画の背後にある子供の個性を、そうした偶然の効果をねらった手法の、画だけの個性にすりかえてしまう危険をふくんでいるにもかかわらず、彼の仕事は若い教師仲間でたいへん評判がよかった。さいきんでは印画紙のうえにさまざまな物をのせて感光させる〝フォト・デッサン〟を発表した。小学校の子供には材料費が高すぎるという非難を浴びながらもそれはひとつの意欲的な試みとして評価された。

「子供は小学校に入るまでにすっかり萎縮《いしゅく》してしまってるからな。概念くだきはいくらやってもやりすぎるということがないよ」

児童画の目的と手段をはきちがえた行過ぎの実験だという保守派からの反論に対して彼はいつもそううそぶいてひるまなかった。

コラージュはさまざまな色紙や新聞紙や布地を任意にちぎっては貼《は》りかさねるという手法である。フロッタージュは木や石に紙をあててうえからクレヨンでこすって木目や石の肌理《きめ》をうきださせる。デカルコマニーというのは紙に水彩のしみをつけ、まだぬれているうちに二つに折って左右相称の非定形模様をつくる手法である。これはマックス・エルンストが考えだした。いずれも子供の自我を通過しない自動主義だという点ではかわりがない。これらの手法が子供の抑圧の解放に役だつことはみとめられねばならないし、ぼく自身もときどき試みるが、それがすべてなわけではない。ただ、山口のやりかたにはどこか売名を計算した野心家の匂《にお》いがあるので、彼が生徒につくらせる作品の無機質な美しさにぼくはいつも警戒心を抱いている。

どういうものか、山口は庇護をうけているにもかかわらず、ぼくにむかってはたいてい大田夫人のことを悪くいった。

「なに、あれはちょっとばかり気前のよいＰＴＡマダムさ。寄附さえ頂戴《ちょうだい》すればいいんだよ」

そのほか、たとえば、大田夫人が後妻だから先妻の子の太郎にことさら善意をおしつけるのだとか、外出好きな性格だとか、ときには夫妻の寝室に対する嘲笑《ちょうしょう》的な臆《おく》測《そく》などといった種類の醜聞である。庇護をうけているのだというひけめを彼はそんな形で補償したがっているのかも知れなかった。いつもぼくは彼の悪口を聞きながして、まともには耳をかさないことにしていた。山口は利己的な男で、自分の都合のよいときだけ責任を他人におしつける癖があった。太郎のときも、さんざんそんなふうにいっておきながら、いざとなると個展の日まで日数のないことや、カンバスの枠張りに手間をとられたことや、先方のたのみがことわりきれないことなど、自分勝手な弁解ばかりならべて逃げてしまった。

「歩いてくるのならひきうける。自動車でくるのならごめんだ。ぼくの生徒はみんな貧乏サラリーマンの子供だからね、自家用車なんかでのりつけられてはたまらないな」

ぼくはそれだけいって電話をきった。山口がこれをどうつたえたのか、ぼくは知らない。約束の日、たしかに大田夫人は歩いてくることは歩いてきたが、帰りに門口まで送ってゆくと、ぼくの家から一町ほどさきの辻に一台の新車がとまっていた。夫人が息子の手をひいてそちらに歩いてゆくと、金属製の応接室を思わせるその当年型のシボレーから制服制帽の運転手がとびだしてきて護衛兵のように扉《ドア》のまえにたったのである。生徒はみんなアトリエで画に夢中だったので、誰も気のつくものはなかったが、ぼくはにがい気持がした。

想像していたより太郎はひどい歪形《わいけい》をうけていた。彼は無口で内気で神経質そうな少年で、夫人とぼくが話しているあいだじゅう身じろぎもせず背を正して椅子《いす》にかけていた。その端正さにはどことなく紳士を思わせるおとなびたものさえあった。寝室と書斎と応接室をかねたぼくの小部屋で会ったのだが、たいていの新入の子が眼を輝かせる壁いっぱいの児童画に対しても彼はまったく興味を示さなかった。彼は窓からさしこむ日曜の正午すぎの日光を浴びて、ものうげに机の埃《ほこ》りを眺めていた。母親が彼の名を口にだすたび、彼は敏感さと用心深さをまじえたすばやいまなざしでぼくの顔をうかがい、ぼくがなんの反応も示さないとわかると、またもとの無表情にもどった。その白い、美しい横顔にぼくは深傷《ふかで》を感じた。

子供には子供独特の体臭がある。ぼくはいつでもそれを自分の手足にかぐことができる。ぼくの皮膚そのものが子供のものではないかという気がするくらい、それは体にしみついている。日なたでむれる藁《わら》のような、乾草《ほしくさ》のような、甘いが鼻へむんとくる匂いである。子供はその生温い異臭を髪や首や手足から発散させてひたおしに迫ってくる。ところが、太郎にはそんなむんむんしたにごりがまったく感じられなかったのである。壁と本棚にある童話本やポスターやおびただしい児童画など、なにをみても彼は顔いろをうごかさなかった。ぼくの部屋には子供の陽気な叫びや笑いや格闘や空想など、さまざまな感情の原形体がみちているのだが、太郎はなにひとつとして浸《しん》蝕《しょく》をうけないもののようであった。ときどき服の皺《しわ》を気にしながら、ほっておけば二時間でも三時間でも彼はいわれるままに椅子に坐っていそうな気配であった。両膝《りょうひざ》にきちんとそろえておかれた彼のきれいにつまれた爪《つめ》をみて、ぼくはよく手入れのゆきとどいた室内用の小犬をみるような気がした。

「学科もわりによくできるほうですし、わがままなところもないんですが、なんだかたよりないんですの。画を描かせても男の子のくせに人形やチューリップばかり。まあ画はできなくても主要学科さえ人なみなら将来かまわんだろうと、主人は申すんでございますが……」

大田夫人は息子の薄弱さを訴えながらも、どことなくしつけのよさを誇りにしているようなところがあった。もし後妻だということを聞いていなければぼくはそのまま彼女を太郎の母親として信じてしまったかもしれない。彼女の口調やものごしはつつしみ深く、上品で、ドレスも渋い色のものを選んでいた。息子に対する善意のおしつけはさておき、彼女が外出好きで派手な性格だという山口の毒をふくんだ説明を、すくなくともその場でぼくはみとめる気になれなかった。

ただ、彼女が小学校二年生の子供の母親として注意深くふるまっているにもかかわらず、どこか年の若さが包みきれずにこぼれるのはさけられないことであった。どうかしたはずみに彼女の動作や表情のかげにはいきいきしたものがひらめいた。彼女が腕をあげたり、体をうごかしたりすると、おちついたドレスのしたでひどく敏捷《びんしょう》な線が走るのにぼくは気がついた。彼女の顎《あご》にも首にも贅肉《ぜいにく》や皺《しわ》のきざしはほとんどといってよいほど感じられなかった。

「なにしろ主人はああして忙しいもんでございますから、子供のことなんか、まるでかまってくれないんでございます。私ひとりであれこれ手本を買ってやったりもしてみたんですが、しろうとはやっぱりしろうとで、眼を放したらさいご、もう描いてくれません」

彼女はそういって苦笑し、太郎のスケッチ・ブックをとりだした。彼女はそれを一枚ずつ繰って、どういうふうにして描かせたかという事情をいちいちていねいに説明しはじめた。太郎はだまって礼儀正しい姿勢でそれを聞いていたが、ぼくは大田夫人からスケッチ・ブックをとりあげると、それとなく話題をあたりさわりのない世間話にそらせてしまった。すこし児童画に知識のある母親なら誰でもがやりたがるように彼女は画で子供の症状を説明しようとしたのだ。子供のいるまえでそんなことをやれば、せっかくの善意も負荷をのこすばかりである。子供は画で現実を救済しようとしているのに傷口をつつきまわされ、酸をそそがれたような気持になってしまう。その結果ぼくに提供されるのは、防衛本能から不感症の膜をかぶった恐怖の肉体だけである。たいていの子供がイソップの蛙《かえる》である。母親のなにげない言動が彼らをおびやかし、自分でも原因のわからない硬化を暗部に起して彼らは苦しんでいる。

ぼくは電熱器で紅茶をわかすと大田夫人と太郎にすすめ、世間話をしながら太郎の日常のだいたいの背景を聞きこんだ。大田夫人は太郎に家庭教師とピアノ教師をつけていることを話したが、それが彼の自由をどれだけ殺しているかについては疑念を抱いていない様子だった。いろいろ画塾の方針などを話したあとで、ぼくが、山口ともよく相談しようというと、彼女はふいにそっぽをむいた。それまでのつつしみ深さにくらべてこの動作は小さいけれど意外だった。

「あの人はあてになりませんわ」

太郎への配慮から彼女は早口に小声でつぶやいた。口調はやわらかいが、そこにはっきり断定のひびきがあって、ぼくは圧《お》されるものを感じた。彼女はちらとぼくをみてすぐ視線をそらせたが、その眼にはわかわかしい、いたずらっぽそうな輝きがのこっていた。

つぎの日曜からかよわせることを約束して大田夫人が太郎をつれて帰っていったあと、ぼくはさっそくスケッチ・ブックをひろげたが、予想どおりのものしか得られなかった。太郎はクレヨンを使っても、クレパスを使っても、電車や人形やチューリップばかり描き、どの画をみても人間がひとりも登場していなかった。彼はすでに図式や象徴の時期を脱して、そろそろ視覚的リアリズムをおしださねばならない年齢に達しているにもかかわらず、スケッチ・ブックのなかにあるのは、いずれも努力をとちゅうで放棄した類型のくりかえしにすぎなかった。どの画用紙も余白が多く、描かれた線には対象への傾倒がまったく感じられなかった。とりわけ人間がひとりも描かれていないという事実は彼の不毛をそのまま物語るもののごとくであった。白い沈黙の頁《ページ》を繰りながらぼくは孤独の処方箋《しょほうせん》をあれこれと思いめぐらした。

いわれるままに太郎はつぎの日曜から画塾へやってきた。ぼくは大田夫人に電話して、自動車できたり、女中がつきそったりすることは極力さけるようにたのんだ。また、太郎が絵具箱やスケッチ・ブックをもってくることにもぼくは反対した。紙や絵具や筆はすべてほかの子供とおなじ画塾のものを使い、どんな意味でも隔壁が生まれることをぼくは警戒したのだ。太郎はアトリエにやってくると膝を正して床にすわり、ぼくがいうまで姿勢をくずそうとしなかった。ぼくは子供に画の技術を教えない。どう描いたらよいのかと聞きにこられると、ぼくはさりげなくほかの話をして子供がつよいイメージを得るまで画から遠ざける。フォルムや均衡や遠近法の意識はぼくが手をとって教えなくても彼らのなかにちゃんと埋もれているのだ。ぼくはそれを蔽《おお》う破片の山をとりのけ、彼らに力をわかせる助けをするだけだ。彼らが自分で解決策を発見するまでぼくは詩人になったり、童話作家になったりして彼らの日常生活のなかを歩きまわり、ときどき暗示を投げるのである。電車を一台きり描いて筆を投げた子供は、ぼくがたずねると

「これはね、終点についたところなんだよ。みんなおりてしまったんだよ」

たいていそんな巧妙なとっさの智恵をはたらかせて逃げようとするが、こちらも負けてはいられない。ぼくは紙をとりあげて感嘆するのだ。

「なるほど、こいつはおもしろいや。だれもいないじゃないか。みんな行っちゃった

んだね」

いそがしく頭をはたらかせてぼくは彼が熱心な野球ファンであったことを思いだす。そして膝をたたくのだ。

「わかったよ。みんな行っちゃったんだ。みんな球場へ見物に行っちゃったんだ。なるほどね。早く行かなきゃ席がとれないぜ……」

子供はうっかり口をすべらす。

「バカいってら。ぼくは指定席だぜ。パパと行くときはネット裏にきまってるんだぜ」

彼は口をとがらせて抗議し、身ぶり手ぶりを入れて球場の歓喜を説明しはじめる。ぼくは頃合をみてそっと彼のまえに新しい紙と絵具をおくのだ。彼の眼の内側に、やがて白球がとび交い、群衆が起きあがれば、耐えられなくなって彼は絵筆をとる。ほんのちょっとしたきっかけで、無人の電車は帰途の超満員電車にまで発展するのだ。いつもおなじ手口で成功するとはかぎらないが、彼らひとりひとりの生活と性癖をのみこんでいさえしたら、きっと突破口は発見されるのだ。すくなくともぼくはそう考えたい。

ところが、太郎は何日たっても画を描こうとしなかった。自分のイメージに追われて叫んだり、笑ったりしている仲間の喧騒《けんそう》をよそに彼はひとりぽつんとアトリエの床にすわり、ものうげなまなざしであたりを眺めるばかりだった。いつみにいっても彼の紙は白く、絵具皿は乾き、筆もはじめにおかれた場所にきちんとそろえられたままだった。泥遊びの快感で硬直がほぐれることもあるので、ためしにフィンガー・ペイントの瓶をさしだしてみると

「服が汚れるとママに叱《しか》られるよ」

彼はそういって細い眉《まゆ》をしかめ、どうしても指を瓶につっこもうとしなかった。きちんと時間どおりにやってきて一時間ほどしんぼうづよく坐っては帰ってゆく彼の小さな後姿をみると、ぼくは大田夫人の調教ぶりに感嘆せずにはおれなかった。

まるで画を描こうとしない子供のこわばりをぼくはいままでに何度かときほぐしたことがある。ぼくはある少年を仲間といっしょに公園につれていった。この子は幼稚園でぬり画ばかりやっていたので、太郎とおなじように自分で描くことを知らない、憂鬱《ゆううつ》なチューリップ派だった。ぼくは地面にビニール布をひろげ、あらかじめ絵具や紙や筆を用意してから、彼といっしょにブランコにのった。はじめのうち、彼はすくんでおびえていたが、何度ものったりおりたりしているうちに昂奮《こうふん》しはじめ、ついに振動の絶頂で口走ったのだ。

「お父ちゃん、空がおちてくる」

彼を救ったものはその叫びだった。一時間ほど遊んでから彼は画を描いた。肉体の記憶が古びないうちに描かれた画は鋳型《いがた》を破壊してはげしいうごきにみちていた。綱ひきや相撲が効を奏したこともあるが、肉体に訴えるばかりが手段ではない。子供は思いもよらない脱出法を考えだすものだ。「トシオノバカ、トシオノバカ」と抑圧者の名をぼくの許すまま壁いっぱいに書きちらしてからやっと画筆をとるきっかけをつくった少女もあった。もうすこし年齢の高い子は自分をいじめるタヌキの画をまっ赤にぬりつぶして息をついた。タヌキは彼の兄のあだ名であった。

太郎の場合に困らされたのはぼくが彼の生活の細部をまったくといっていいほど知らないことだった。鋳鉄製の唐草模様の柵《さく》でかこまれた美しい邸《やしき》のなかで彼がどういうふうに暮らしているのか、そこでなにが起っているのか、ぼくには見当のつけようがなかった。ピアノ教師や家庭教師をつけて大田夫人が彼に訓練を強制し、また、作法についてもかなりきびしく彼を支配しているらしい事実はわかっても、太郎自身がどんな感情でそれを受けとっているのか、内心のその機制を覗《のぞ》きこむ資料をぼくはなにひとつとしてあたえられていなかった。彼はほとんど無口で感情を顔にださず、ほかの子供のようにイメージを行動に短絡することがないのである。フィンガー・ペイントがしりぞけられたので、ぼくはつぎに彼を仲間といっしょにぼくのまわりにすわらせて童話を話して聞かせたが、その結果、聡明《そうめい》な理解の表情は浮かんでも、彼の内部で発火するものはなにもないようだった。話がおわると子供たちは絵具と紙をもってアトリエのあちらこちらにちらばり、太郎はひとりとりのこされた。ブランコにのせることもやってみたが、失敗だった。彼はぼくがこぎはじめると必死になってロープにしがみつき、笑いも叫びもしなかった。おろしてやると、この優等生の小さな手はぐっしょり汗ばんで、蛙の腹のようにつめたかった。ぼくは自分の不明と粗暴を恥じた。彼は恐怖しか感じなかったのだ。これで彼の清潔な皮膚のしたに荒蕪地《こうぶち》があることはありありとわかったが、うっかりすると聞きもらしてしまいそうな、小さなつぶやきを耳にするまでは、ぼくはただその周辺をうろうろ歩きまわるばかりで、まったく手のくだしようがなかった。

二十人ほどの画塾の生徒のなかに、ひとりかわった子がいた。彼には奇妙な癖があり、なにを描いてもきっちり数字を守らねば気がすまなかった。学校から遠足に行くと、何人参加して何人休んだかということをおぼえておいて、つぎに画を描くとき、それをそのまま再現するのである。五十三人なら五十三人の子供が山をのぼるところを彼はひとりずつ指折りかぞえて描きこむものだから、この子が遠足を描くんだといいだすと、ぼくは一メートルも二メートルもつぎたしした紙を用意してやらねばならない。

ある日、彼は兄といっしょに小川でかいぼりをした。そして、その翌日、酔ったままぼくのところへ紙をもらいにきたのである。おむすび型をした彼の頭のなかでは二十七匹のエビガニが足音をたててひしめいていた。

「お兄ちゃん、二十七匹だぜ。エビガニが二十七匹だぜ！」

彼はぼくから紙をひったくると、うっとりした足どりでアトリエの隅へもどってゆき、床にしゃがみこむと、鼻をすすりながら画を描きだした。彼は一匹描きあげるたびにため息ついて筆をおき、近所の仲間にそのエビガニがほかの一匹とどんなにちがっていたか、どんなに泥穴の底からひっぱりだすとおかしげに跳ねまわったかと雄弁をふるった。

「……なにしろ肩まで泥ンなかにつかったもんなあ」

彼はそういって、まだ爪にのこっている川泥を鉛筆のさきでせせりだしてみせた。仲間はおもしろがって三人、五人と彼のまわりに集まり、口ぐちに自分の意見や経験をしゃべった。アトリエの隅はだんだん黒山だかりに子供が集まり、騒ぎが大きくなった。

すると、それまでひとりぼっちで絵筆をなぶっていた太郎がひょいとたちあがったのである。みていると彼はすたすた仲間のところへ近づき、人だかりのうしろから背のびしてエビガニの画をのぞきこんだ。しばらくそうやって彼は画をみていたが、やがて興味を失ったらしく、いつもの遠慮深げな足どりで自分の場所へもどっていった。ぼくのそばをとおりながらなにげなく彼のつぶやくのが耳に入った。

「スルメで釣ればいいのに……」

ぼくは小さな鍵《かぎ》を感じて、子供のために練っていたグワッシュの瓶をおいた。ぼくは太郎のところへゆき、いっしょにあぐらをかいて床にすわった。

「ねえ。エビガニはスルメで釣れるって、ほんとかい?」

ぼくは単刀直入にきりこんだ。ふいに話しかけられたので太郎はおびえたように体を起した。ぼくはタバコに火をつけて、一息吸った。

「ぼくはドバミミズで釣ったことがあるけれど、スルメでエビガニというのは聞きはじめだよ」

ぼくが笑うと太郎は安心したように肩をおとし、筆の穂で画用紙を軽くたたきながらしばらく考えこんでいたが、やがて顔をあげると、キッパリした口調で

「スルメだよ。ミミズもいいけれど、スルメなら一本で何匹も釣れる」

「へえ。いちいちとりかえなくっていいんだね?」

「うん」

ぼくはタバコを口からはなした。

「妙だなあ」

「だって君、スルメはイカだろう。イカは海の魚だね。すると、つまり、川の魚が海の魚を食うんだね?……」

いってから、しまったとぼくは思った。この理屈はにがい潮だ。貝は蓋《ふた》を閉じてしまう。やりなおしだと思って体を起しかけると、それよりさきに太郎がいった。

「エビガニはね」

彼はせきこんで早口にいった。

「エビガニはね、スルメの匂《にお》いが好きなんだよ。だって、ぼく、もうせんに田舎ではそうやってたんだもの」

太郎の明るい薄茶色の瞳《ひとみ》には、はっきりそれとわかる抗議の表情があった。ぼくは鍵がはまってカチンと音をたてるのを聞いたような気がした。

これは新発見であった。大田夫人からも山口からもぼくは太郎が田舎にいたことがあるなどとは一言も教えられていなかった。大田夫人が後妻だということを聞いても、ずっとぼくは太郎が都会育ちだと思いこんでいたのだ。たしかに荒蕪地はアスファルトで固められているが、ずっと遠い暗がりには草と水があったのだ。ここから掘り起していこうとぼくは思った。ただ、いままで伏せられていたこの事実にはどこか秘密の匂いがあった。いまの大田夫人が田舎にいたとはちょっと考えられないことだった。ぼくは床にあぐらを組みなおすと、もっぱら話題をエビガニに集中して太郎といろいろ話しあった。

その翌日、ぼくははじめて差別待遇をした。月曜日は太郎は家庭教師もピアノ練習もない日だったので、ぼくは彼をつれて川原へでかけたのだ。ほかの生徒には用事があるといってアトリエを閉じると、ぼくは正午すぎに大田邸を訪ねた。すでにぼくは太郎が母親といっしょに九州にいたことがあるのを彼の口から知っていたが、夫人にはなにもいわなかった。太郎はエビガニについては熱心だったが、話のなかで母親にはスルメを自分にくれる役をあたえただけで、当時のことについてそれ以上はあまりふれたがらない様子だったので、ぼくは夫人に太郎の昔をたずねることをはばかったのだ。彼女はぼくから太郎を写生に借りたいと聞かされて、たいへんよろこんだ。

「なにしろ一人っ子なもんでございますからひっこみ思案で困りますの。おまけにお友達にいい方がいらっしゃらなくて、おとなりの娘さんとばかり遊んでおります」

夫人はそんなことをいいながら太郎のために絵具箱やスケッチ・ブックを用意した。

いずれも大田氏の製品で、専門家用の豪奢《ごうしゃ》なものだった。その日は夫人は明るいレモン色のカーディガンを着ていた。芝生の庭に面した応接室の広いガラス扉からさす春の日光を浴びて、彼女の体は歩きまわるたびに軽い毛糸のしたで明滅する若い線を惜しむことなくぼくにみせた。

しばらく応接室で待っていると太郎が小学校から帰ってきた。彼は部屋に入ってきてぼくを発見すると、おどろいたように顔を赤らめたが、夫人にいわれるまま、だまってランドセルを絵具箱にかえて背にかけた。そんな点、彼はまったく従順であった。夫人は自動車を申しでたが、ぼくはことわった。太郎はデニムのズボンをつけ、ま新しい運動靴をはいた。

「汚れますよ」

ぼくが玄関で注意すると、大田夫人はいんぎんに微笑した。

「先生といっしょなら結構でございます」

口調はていねいでそつがないが、ぼくはそのうらになにかひどくなげやりなものを感じさせられた。いわれのないことであったが、その違和感は川原につくまで消えそうで消えず、妙にしぶとくぼくにつきまとってきた。

太郎をつれて駅にゆくと、ぼくは電車にのり、つぎの駅でおりた。そこから堤防まではすぐである。ぼくのいそぎ足に追いつこうとして太郎は絵具箱をカタカタ鳴らしつつ小走りに道を走った。月曜日の昼さがりの川原はみわたすかぎり日光と葦《あし》と水にみちていた。対岸の乱杭《らんぐい》にそって一隻《せき》の小舟がうごいているほかにはひとりの人影も見られなかった。小舟は進んだり、とまったりしながらゆっくり川をさかのぼってい た。広い空と水のなかでひとりの男がシガラミをあげたり、おろしたり、いそがしく舟のなかでたち働く姿が小さくみえた。ぼくは太郎をつれて堤防の草むらをおりていった。

「あれは魚をとってるんだよ」

「……」

「こんな大きな川でもウナギやフナの通る道はちゃんときまっているんだ。だからああして前の晩にシガラミをつけておくと、魚はこりゃいい巣があると思ってもぐりこむんだよ」

橋脚だけのこされたコンクリート橋のしたでぼくと太郎は腰をおろした。橋は戦争中に爆撃されてからとりこわされ、すこしはなれたところに鉄筋のものが新設された。強烈な力の擦過した痕跡《こんせき》は、いまは川のなかにのこされたコンクリート柱だけで、爆弾穴は葦と藻に蔽《おお》われた、静かな池にかわっていた。太郎は腰をおろすと、絵具箱を肩からはずし、スケッチ・ブックをあけようとした。ぼくはその手をとどめて、右の眼をつぶってみせた。

「今日は遊ぼうや。カニでもとろうじゃないか」

「だって、ママが……」

ぼくはつぶった眼をあけ、かわりに左の眼をつぶって笑った。

「画は先生がもって帰ったっていえばいいよ」

「うそをつくんだね？」

太郎はませた表情でぼくの顔をのぞきこんだ。ぼくはだまってたちあがると、葦の茂みのなかへ入っていった。

葦をかきわけて歩くと、一足ごとに、泥がそのまま流れるのではないかと思うほどおびただしい数の川ガニがいっせいに走った。ぼくは太郎といっしょに彼らを足でつぶしたり、つかまえたりした。はじめのうち太郎は泥がつくことをいやがっていたが、そのうち靴にしみが一点ついたのをきっかけに、だんだん大胆に泥のなかへふみこむようになった。カニを追うたびに彼の手は厚く温い泥につきささり、爪《つめ》は葦の根にくいこんだ。やがて彼がひとりで小さな声をあげつつ茂みのなかを這《は》いまわりはじめた頃をみはからって、ぼくはあたりに水たまりがないことをみとどけ、もとの爆弾穴のほとりへもどった。

　ぼくが葦笛をつくることに没頭していると、しばらくして太郎が手から水をしたたらせてもどってきた。彼は足音をしのばせつつやってくると、ぼくのまえにたち、青ざめて
「先生、コイ……」

　そういったままあえいだ。

「どうしたんだい？」

「コイだよ、先生。コイが逃げたの」

　彼はぬれた手でいらだたしげに額の髪をはらい、ぬき足さし足で池にもどっていった。そのあとについていくと、彼は水辺でいきなり泥のうえに腹ばいになった。ぼくは彼とならんで葦の根もとにねそべり、おなじように池のなかをのぞきこんだ。ぼくの腕のよこで太郎の薄い肩甲骨《けんこうこつ》がうごいた。彼は温い息をぼくの耳の穴にふきこんだ。

「あそこへ逃げたんだよ」

　彼のさしたところには厚い藻のかたまりがあった。それは糸杉の森のように水底から垂直にたっていた。日光が水にすきとおり、森の影は明るい水底の砂の斜面におちていた。たしかにこの水たまりの生命はその暗所にあるらしかった。さまざまな小魚

や幼虫や甲虫類が森をかきわけて砂地の広場にあらわれると、しばらく日なたぼっこして、また森の奥へもどっていくのがみえた。

ぼくは太郎といっしょに息を殺して水底の世界をみつめた。水のなかには牧場や猟林や城館があり、森は気配にみちていた。池は開花をはじめたところだった。水の上層にはどこからともなくハヤの稚魚の編隊があらわれ、森のなかでは小魚の腹がナイフのようにひらめいた。ガラス細工のような川エビがとび、砂のうえではハゼが楔形《くさびがた》文字を描いた。ぼくは背に日光を感じ、やわらかい風の縞を額におぼえた。

池の生命がほぼ頂点に達したかと思われた瞬間、ふいに水音が起って、ぼくは森に走りこむ影をみた。ハヤは散り、エビは消え、砂地にはいくつものけむりがたった。影の主の体重を示して森の動揺はしばらくやまなかった。ぬれしょびれた顔を水面からあげて、太郎はあえぎあえぎつぶやいた。

「逃げちゃった……」

茫然《ぼうぜん》として彼はぼくをふりかえった。彼の髪は藻と泥の匂いをたて、眼には熱い混乱がみなぎっていた。そのつよい輝きをみて、案外この子は内臓が丈夫なのではないかとぼくは思った。空気には甘くつよい汗の香りがあった。

二

ニューヨークにひとりの少女が住んでいた。名前を忘れたので、かりに、キャル、とでもしておこう。彼女は小児マヒで小さいときからずっと病院暮らしだった。毎日ベッドにねたきりの生活にたいくつした彼女は、ある日、ふと思いついてベッドを窓ぎわに移させると、看護婦に封筒と便箋《びんせん》をもらい、不自由な手で手紙を書いた。その日その日の病室の出来事をこくめいに書きこむと、彼女は封をし、窓のあいているときをみすまして外へ投げた。毎日彼女はそれをせっせとつづけた。窓のしたには五番街の雑沓《ざっとう》があった。二週間ほどすると、彼女のばらまいた日記に対して、マニラやリスボンやロンドンなど、世界中から激励の返事や贈り物がもどってきた。キャルの手紙の宛名《あてな》はいつも『誰かさんへ』となっていた。

「ここから投げたのよ」

新聞記者が訪ねると、彼女は母親に支えられて十五階の窓から体をのりだして、ニューヨークの空をさした。

三ヵ月ほどまえにぼくはこの記事を『ニューヨーク・タイムス』で読んだ。まったくの偶然である。山口が本を返すときに包んできた新聞だったのだ。ぼくは大衆食堂でラーメンをすすりながらなにげなくこの記事を読んで、いかにもアメリカ娘らしいキャルの現実処理に感心した。ぼくはその新聞を本といっしょに家へもってかえったのだが、しばらくたってからさがしたときには新聞は部屋のどこにもみつからなかった。

外国の児童画を入手したいというのはぼくの年来の宿願であった。新聞社やユネスコはときどき国際的な児童画の交換をやって展覧会をひらいてくれるが、短い会期と人ごみがぼくを満足させてくれない。ときにはいそがしくてみにいけないこともある。また、そうした展覧会の代表的作品が美術雑誌に転載されることもなくはないが、印刷がわるくて、原画の色感がよくわからない。モノクロームになると、せいぜいフォルムやパターンを知るくらいが関の山だ。原画にじかに接して、それを描いた子供の肉体を知りたいというぼくの希望はとうていかなえられそうもないのである。

ある日の夕方、ぼくは生徒に画を教えおわってから、駅前の屋台へ焼酎《しょうちゅう》を飲みにでかけた。豚の心臓が焼けるのを待ちながら、ぼくはいつものように茶碗《ちゃわん》をなめ、タレの壺《つぼ》を眺めて、いったい何日ほっておくとこんな深淵《しんえん》の色がでるのだろうなどと考えた。じっさい、壺のなかにはエムデン海溝もおよばないくらいの深さと渾沌《こんとん》がよどんでいた。ところが何口めかの焼酎が胃から腸にしみわたった瞬間、ぼくはまったくとつぜん衝動を感じてコペンハーゲンへ手紙をだすことを決心してしまったのだ。これは完全な不意打ちだった。ぼくは自分の体内でよみがえった小児マヒのキャルのつよさにおどろき、しかも計画がすでに隅から隅まで完備しているのを感じてたじたじした。

その晩、ぼくは焼酎を一杯できりあげると、いそいでアトリエにもどり、辞書と下書用紙を机にそろえた。そして、単語の密林をさまよいながら、「デンマーク、コペンハーゲン、文部省内児童美術協会御中」と宛名を書き、アンデルセンの童話の挿画《さしえ》を交換しようではないかという内容の原稿を書いたのだ。コペンハーゲンがデンマークの首都であることをのぞくと、あとはすべて一杯の焼酎の創作であった。とにかく誰かが読んでくれたらいいのだ。返事がこなければくるまで何回でも書いてやれとぼくは辞書をひきながら酔いにまかせて考えた。原稿は翌日、図書館へもっていき、タイプライターを借りて正式の手紙に打った。

その手紙のなかでぼくは自分の立場と見解をつつまずのべた。自分が画塾をひらいていること、その生徒の数、年齢、教育法。ぼくはできるだけくわしくそれを説明し、創造主義の立場から空想画が児童のひとつの重要な解放手段であると思うことをフランツ・チゼックの実験などを引用して説明した。こんなときは地を這うような、糞虫《くそむし》のような誠実さよりほかに迫力を生むものはなにもないと思ったので、ぼくはなりふりかまわずくどくどしゃべった。そして、結論として、子供にアンデルセンの童話を話して挿画を描かせ、おたがい交換のうえで比較検討しようではないかと提案したのである。共通のテーマをあたえれば、風土や慣習の相違がもたらしやすい誤解をさけて、かなり公平に画の背後にあるものを観察しあえるのではないかとぼくは考え、またそのように手紙にも書いた。

第一便に対してはなんの答も得られなかった。第二便についても同様だった。あともう一回書いて断念しようかと考えて送った第三便に対して返事がもどってきた。差出人は、「デンマーク、コペンハーゲン、東通り筋《エスデルガーデ》、アンデルセン振興会」。署名はヘルガ・リーベフラウ。内容は全面的受諾の吉報であった。これを受けとるとぼくはまたあわてて辞書を繰り、ミセス・リーベフラウに宛てて謝意を表するとともに、作品は三ヵ月以内にまとめて送りたいと返事を書いた。リーベフラウ夫人からはすぐに便りがもどってきた。作品を受けとり次第、ただちに当方からも航空便を発送したいという旨《むね》のものであった。この手紙の本文は短いが、追伸がついていた。

「私は私自身責任を有しないドイツ姓のために少女時代よりしばしば、そしてまたはからずも貴殿からも、甚だ不当、かつ悲観的なユーモアを得ました。私がまだ未婚である事実に貴殿の注意を喚起いたしたく存じます。今後、宛名はかならず〝ミス〟称によって頂くことをこの公用書翰《しょかん》を借りて申しそえます。希望と誠意にみちて　ヘルガ」

『リーベフラウ』は『愛妻』という意味だろうとぼくはおぼろげなドイツ語の知識にたよって、ついうっかり〝ミセス〟と呼んだのだった。彼女はミスの四字を大文字で打ち、わざわざ二重の下線をそこにひいていた。了解の意を表するため、ぼくはまた図書館へかけつけた。

　太郎が画塾へきたときは、ちょうどこのヘルガ嬢の第二便のあとで、ぼくは仕事に着手しかけたばかりのところだった。約束の期間は三ヵ月なので、相当の枚数を用意しなければならなかった。ぼくはいろいろと案を練って、いままでの方針のなかへこの期間内にすこしずつ空想画の要素と時間をふやしてゆくことを考えた。子供たちに、彼らの画がデンマークへ送られるということを打明けてやりたい気持はたえずぼくのくちびるの内側までのぼってふるえたが、ぼくはなにも話さない決心をした。話せば子供たちはきっと新鮮な刺激をうけて昂奮《こうふん》するだろうし、両親たちもぼくを援助する気になるだろう。しかしそこには美しい危険が生まれるのだ。子供たちはいままでよりも自由でなくなり、束縛を感じ、画のことを考えはじめるにちがいない。彼らにとって画はあくまでその場その場の克服手段にすぎず、一枚描きあげるとたちまち忘れてつぎへ前進するものなのだ。彼らは画そのものに執着しないのだ。デンマークということを聞いて緊張するのは両親たちである。きっと彼らはだまっていられなくなって子供に干渉しはじめるにちがいない。彼らは訓練主義教育で育てられた自分の肉眼の趣味にあわせて子供に年齢を無視した整形やぬりわけを強制するだろう。その結果子供の内側では微妙な窒息が起るのだ。個性のつよい子ならぼくと両親の両方に気に入られるよう、二様の画を描いてきりぬけるかもしれないが、薄弱な子は板ばさみになって混乱するばかりである。ぼくがだまってさえいれば、いままでどおり、両親はすくなくとも画についてだけは子供に干渉することはないだろう。彼らの大部分は中産家庭の流行として子供を画塾にかよわせているにすぎないのだ。

キャルにそそのかされてぼくは事をはじめたのだったが、そのうちにこの話は思いがけぬ方向に発展しだした。ヘルガ嬢の第二便から一週間ほどして、ぼくはとつぜん大田氏の秘書から、社長がぜひ会いたいと申しておりますから、という電話を受けたのである。その日の夕方、アトリエで待っていると、迎えの自動車がやってきた。運転手にいわれるままのると、ホテルのまえでおろされた。大田氏が別室で待っているはずだから帳場で聞いてくれという。帳場ではすぐ連絡がついて、ボーイが案内してくれた。大田氏は食卓を用意させて、ひとりでぼくを待っていた。食事はマルチニからはじまってコニャックにおわる豪華なコースであった。

「息子がたいへん御厄介になっているそうで、一度そのお礼を申しあげようと思いましてね」

大田氏の挨拶《あいさつ》は愛想がよかったが、会食の真意はそれではなかった。食事中の会話は児童画界の噂話《うわさばなし》や画塾の経営状況、おたがいの酒の趣味などが話題にのぼって、ほとんど世間話の域をでないものであったが、大田氏はブランデーのグラスをもって食卓をはなれてから用件をきりだした。意外だったのはぼくとコペンハーゲンの関係を彼が完全に知りぬいていることであった。彼はヘルガの名前まであげたのである。彼は革張りの安楽椅子《いす》に深く腰をおろし、ほとんど仰臥《ぎょうが》の姿勢で、顔だけぼくにむけて微笑した。

「これはすばらしいお考えですよ。なにから思いつかれたのか知りませんが、敬服いたします。あなたが、もし私の商売敵の社員だったら、是が非でも高給をもってひっこぬこうというところですよ」

彼はそういって胸のポケットから航空便箋《びんせん》とそれの翻訳文をとりだしてぼくにわたした。差出人にヘルガの名前を発見して、ぼくはあわてて椅子に起きなおった。読んでみてすべての事情が判明した。大田氏はぼくのとまったくおなじ内容の提案をしたのだったが、ぼくのほうが一週間早かったのだ。大田氏は全日本に運動を展開するからと申しこんだのだが、ヘルガは先約者があるからといってことわり、協会としては両氏ともそのアンデルセンに対する好意を謝して握手したいところだが同内容の催しが二つあることは子供を混乱させるばかりだから、討議の末一本にまとめられたいという旨の文面だった。手紙のさいごにはぼくの名と住所が記されていた。大田氏は苦笑を浮かべてぼくから手紙を受けとった。

「はじめはカッとなりましたね。負けたと思ったんですよ。ところがあなたの身元をさぐってゆくと、なんとこれが息子の先生じゃないか。二度びっくりというところです。私は息子が画を習っていようとは夢にも知りませんでしたからね。うかつな話で恐縮ですが、そういうわけで今晩きて頂いた次第なんです」

その夜、ぼくは九時頃まで大田氏と話しあった。彼の考えは、要するに、ぼくの案を全国的な運動として拡大しようというのであった。画を描くことがさかんになるのは根本的にぼくも賛成だが、学校の先生がむりやり子供の尻《しり》をたたいてひとりでも多くの入選者を自分の級からだそうというのなら感心できない。入選した子供は得意になってそれ以後自己模倣をくりかえし、あとの子供たちはみんなそのまねをするという危険がある。また、大田氏が自社製品を売るための宣伝事業としてこれをやるのならぼくは先取特権にたてこもりたい。この二つの留保条件をつけて、ぼくは彼に企画をゆだねることとした。大田氏はぼくの話を聞いてうなずいた。

「おっしゃることはよくわかりますが、これは絵具の売れる仕事じゃないですよ。第一、一枚の画をみて、うちのクレパスを使ったのか、よそのクレパスを使ったのか、そんなことはわからないじゃありませんか。たとえ先生がうちのを使えといったところで、子供はよそのをいくらでも買える。私はそんなことを考えてるのじゃないんです」

帰途の自動車のなかで彼はぼくにこの企画の顧問の位置を申しでた。画塾のひまなときをみつけて会社へ遊びにきてくれるだけでよいからというのであった。ぼくの先取権に対する譲歩を彼はそんな形であらわそうとしているらしかったが、ぼくはことわった。ぼくは児童の原画がほしいだけなのだ。ほかに野心はない。すると大田氏は話題をかえて、創造主義の美育理論のことをぼくにたずねた。ぼくが画塾の教育方針をいろいろと話すと、彼はいちいちうなずいて聞いたあげくにこういった。

「……つまり、ひとくちにいえば子供には自由にのびのび描かせようというわけですね。描きたいと思う気持を起させて、どしどし惜しまずにやれということでしょう?」

「そういえないこともないですが……」

「いい思想ですな。私のほうもありがたい」

「つまりそのほうが、むかしより余計に絵具を使ってもらえますからな」

大田氏はクッションに深くもたれてなにげなくつぶやいただけだったが、ぼくはそれまでのコニャックの酔いが急速に潮をひいていくのをありありと感じた。するどくにがいものがぼくをかすめた。

この瞬間に受けたぼくの予想は十日後に緻密《ちみつ》に組織化されてぼくのまえにあらわれた。大田邸の書斎でぼくは全国の学校長に宛てた児童画の公募案内のゲラ刷りをみせられたのだ。大田氏はどこをどう連絡つけたのか、文部大臣とデンマーク大使の協賛のメッセージを手に入れて巻頭にかかげ、挿画の審査員には教育評論家や画家や指導主事など、児童美術に関係のある人間、それも進歩派、保守派、各派の指導的人物をもれなく集めていた。さらにぼくは巻末の小さな項目をみて、計画が完全に書きかえられたのを知った。すなわちこの企画に応募して多数の優秀作品をだした学校には〝教室賞〟をあたえようというのである。それは感嘆符もゴジックも使わず、隅に小さくかかげられていた。デンマーク大使館と文部省の協賛者として社名をだす以外に大田氏はビラのどこにも自社製品の宣伝を入れていなかった。

「どうです、お宅でも傑作を寄せてくださいよ」

大田氏は満足げな表情でソーファにもたれ、足をくんで細巻の葉巻をくゆらせた。中肉中背の男だが、その血色のよい頬や、よく光る眼にぼくはしたたかな実力を感じさせられたような気がした。

「賞金をつけたんですね？」

留保条件のことをほのめかしたつもりなのだが、彼はそっぽをむいて、こともなげにつぶやいた。

「ああ、それはね、つまり、今日の新聞をごらんになりましたかな。教育予算がまた削られましたよ。そういう事情なもんだから、個人賞より団体賞のほうが金が生きるだろうと思いましてな」

ぼくはあっけにとられて彼の顔をみつめた。この口実のまえで誰が教師の射倖《しゃこう》心や名誉欲をそそる罪を告発することができるだろうか。しかも美しいことに彼は自社製品の宣伝は一言半句も入れていないのだ。いったい結び目を彼はどこにかくしたのだろう。ぼくはテーブルにおかれたコーヒーをゆっくりかきまぜながらつぶやいた。

「つまり子供に画を描く動機だけつくってやるわけですね。子供がどこの会社のクレパスを使おうが知ったことじゃないと、こないだおっしゃいましたね。そうするとこれはよそのものを売るために賞金をつけるようなものじゃありませんか？」

「そうでもないでしょう」

大田氏は葉巻の灰を飲みのこしのコーヒー碗《わん》のなかへおとすと、微笑を浮かべた。

「私の市場は東日本、つまり東京以東ですな、ここは販売網がしっかりしてるから、子供が買いに行きさえしたら売れる。この分だけは儲《もう》かりますな」

彼は言葉をきると、事務的な口調をすこしやわらげてぼくの顔をみた。

「しかし、西日本ではおっしゃるとおりです。私がいくらやったって敵さんの利益になるばかりだ。ソロバン勘定だけなら今度のこれは間がぬけていますよ。私ももうすこし若かったらこんなことはやらんです。商売人の慈善事業なんて誰も信用してくれませんからね。今度だって社員からずいぶんイヤ味だっていわれてるんです」

彼の静かな言葉には円熟と謙虚のひびきがあった。それはぼくに奇妙ないらだたしさと違和感をあたえた。彼はソーファにゆったりともたれ、寛容で聡明《そうめい》であいまいだった。ぼくはコーヒーをひとくち飲むと、探りを入れてみた。

「賞金で釣ってもろくな画はできませんよ。子供は敏感だからおとなの好みをすぐさとります。悪達者な画が集まるばかりですよ」

「わかっております」

大田氏はうなずいて葉巻をコーヒー碗に投げこんだ。彼はぼくのとげをいっこうに意に介する様子もなくつぶやいた。

「賞金で釣ったってなんにもならんだろうということはわかっております。しかし、日本全体としてみれば、せめて賞金でもつけなきゃ画を描いてもらえないというのが現状じゃないですか。幼稚園は小学校の、小学校は中学校の、また高校、大学はそれぞれ官庁会社の予備校でしょう。児童画による人間形成なんてお題目は結構だが、いざ進学、受験、就職となったら、画なんてどこ吹く風というのが実情です。だから少々悪達者でも、とにかく画を描かせること。このほうが目下の急務じゃないですかな」

彼はそういって軽く吐息をつき、かたわらのサイド・テーブルにあったウィスキー瓶とグラスをとりよせた。ぼくのと自分のとにつぎおわると、彼はグラスを目の高さまでもちあげてかるく目礼した。

「さびしいことです」

彼はウィスキーをひとくちすすってグラスをおくと、父親のような微笑を眼に浮かべてぼくをみた。まるで牛が反芻《はんすう》するようにたっぷり自信と時間をかけて美徳が消化《こな》れるのを楽しむ、といった様子であった。

どうやらぼくは鼻であしらわれたらしい。あらかじめ彼は用意して待っていたにちがいないのだ。彼はすっかり安心して微動もしない。彼のかかげる大義名分はどこかに嘘《うそ》があるからこそこんなみごとさをもっているのにちがいないのだ。彼の言葉はよく手入れのゆきとどいた芝生のように刈りこまれ、はみだしたものがなく、快適で、恵みにみちている。彼は貸借対照表をぼくにおおっぴらにみせびらかしたのだ。彼は自分の儲けを率直に告白し、損を打明けた。彼は子供を毒するとみとめ、子供を解放しようという。教育制度をののしり、しかもなお巨額の資金を寄附しようとするのだ。この口実のどれをとりあげても、ぼくは歯がたたない。ぼくには資料がないのだ。彼が美徳によってあげる利潤をつきとめる資料が皆無なのだ。完全さにつきまとう嘘の匂《にお》い、それが鼻さきにただようばかりである。しかも彼は階段の意識でおびえる二〇〇万人の子供の大群という巨大すぎる武器をほのめかした。こういうやりかたはぼくにはにが手だ。有無をいわせぬたしかさとあいまいさを同時におしつけ、苦痛のうちにはぐらかされてしまう。質の問題がいきなり数の問題にかわって、抵抗のしようがなくなるのだ。たしかに大田氏は計算しているのだ。

「どうでしょうな」

彼はぼくにむかってウィスキー瓶をさしだした。ぼくがグラスをほすと、彼はしっかりした手つきでなみなみとつぎ、おわりしなに瓶をキュッとひねって一滴もこぼさなかった。葉巻をコーヒー碗に投げたことをのぞけば、新興商人らしい粗野さを彼はどこにもみせなかった。戦後十余年の波瀾《はらん》に富んだ男根的闘争をたたかいぬいてきたはずなのに、一見彼の紳士ぶりには非のうちどころがなかった。

「やっぱり御協力願えませんかな？」

ウィスキー瓶をおくと彼はぼくの顔をじっとみた。ぼくは視線をそらせて手をふった。

「私のでる幕じゃありませんよ」

「しかし、アイデアはあなたのものです」

「大田さんがおやりになったほうがデンマークはよろこぶでしょう。私はむこうの子供の画を頂くだけで結構です」

はじめから答を予想していたように大田氏はうなずき、だまってウィスキー瓶をさしだした。ぼくはそれに栓をして彼の手にもどしながら、いきなりこういった。

「太郎君の画をごぞんじですか？」

大田氏はとつぜん問題が思いがけぬ方向にかわったことにとまどったらしく、二、三度眼を瞬いた。ぼくの語気に苦笑して彼は顔をそむけた。

「どうも、わしは忙しいんでね」

ぼくは彼の表情につよい興味を抱いた。

ぼくは先夜も今夜も、彼が息子については通りいっぺんの挨拶をのぞいてなにも積極的に発言しようとしないことに気がついたのだ。二人の話はすべてビジネスに終始していた。のみならず、ぼくにはこの書斎と邸《やしき》の静かさが異様に感じられたのだ。今夜も大田氏は会社から秘書に電話をかけさせ、自分は書斎でひとりでぼくを待っていた。邸の玄関でぼくを迎えたのは太郎でもなく、夫人でもない。五十すぎの寡黙《かもく》な老女中であった。書斎の厚い扉が閉じられると、広い邸内にはなんの物音も感じられなかった。挨拶をすませると大田氏はただちにゲラ刷りをとりだした。とちゅうで一度、老女中がコーヒーをもってきたときをのぞいて、ぼくはまったく人の気配を感じさせられなかったのだ。夫人は留守かも知れないが、それにしても太郎はどこでなにをしているのだろう。ぼくは美しくて厚い壁と扉を眺めた。たしかにこれが藻と泥の匂いをさえぎっているのだ。

「こないだ山口君から聞いた話では、学科は人なみだということでしたな」

「数字ではわかりませんよ。画ですよ。太郎君は画が全然描けないんです。というより、描くべきものをもっていないんですね」

大田氏はソーファにゆったり足を組んでもたれ、しばらく困ったように微笑して頭をかいていたが、とつぜん納得がいったように膝《ひざ》をたたいた。

「わしに似よったんですよ。その責任はわしですよ。わしも子供のときは画が不器用で大嫌いで、そうそう、図画の時間になるともう頭から逃げることしか考えなかった。皮肉なもんですな、それがいまは絵具屋の社長さん……」

ふいに彼はノドの奥でクックックッと笑い、ひとりでなにかを思いだしたようにおかしがっていたが、やがてぼくに聞いたのだ。

「まあ、しかし、あなたをまえにこういっちゃなんだが、画はできなくても大学にはいけましょう?」

ぼくはぼんやりと彼の顔をみた。そして、とつぜん声をあげて笑いたくなった。ぼくはこみあげる衝動をおさえるために、あわててウィスキー瓶に手をのばした。とうとう大田氏は自分から不用意にも嘘を告白したのだ。城壁には穴があいたのだ。彼はぼくの顔にもれた笑いをみて幸福そうにソーファへもたれると葉巻をとりだし、たんねんに匂いをかいでから火をつけた。彼の偽装にぼくはふたたび迷わされなかった。すでに彼はひとりの中老の口達者な絵具商にすぎなかった。なるほど彼は強大だ。デンマーク大使をそそのかし、文部大臣を籠絡《ろうらく》し、日本全国の子供と教師を動員する。しかし息子の太郎はクレパス一本うごかせないであえいでいるではないか。児童画の生理など、大田氏にはなにもわかっていないのだ。それは彼にとって器用不器用の問題でしかない。学校教育の実情が人間形成を考えないといって攻撃するのはまったくお題目にすぎなかったのだ。彼は息子を大学に追いやることしか考えていないのだ。邸の静寂がふたたびぼくにもどってきた。この家は考えると太郎そのものであった。美しくて、整理され、しみも埃《ほこ》りもないが空虚であった。部屋は死んだ細胞だ。みんなそのなかに隔離されて暮らしている。声や息や波が壁をふるわせることなく、主人は自室で下宿人のように暮らしているのだ。

「たいへんたちいったことをおたずねしますが……」

大田氏はぼくの声で顔をあげ、葉巻をくわえたままうなずいた。

「奥さんは太郎君の友達を御自分で選ぶというようなことをなさいませんか？」

「やるかもしれませんな。あれはしつけがやかましいから」

大田氏はそうつぶやいてから、ふと気がついたようにぼくの顔をみた。

「しかし、よくごぞんじですな？」

「わかりますよ。太郎君は人形の画しか描きませんからね。これはおとなりの娘さんとしか遊ばないからですよ。おまけに太郎君の画には人間がひとりもでてこない。お父さんの画もお母さんの画もでてこない。もともと描く気がないんですね」

大田氏はぼくの口調の変化を敏感にかぎとった。彼は口から葉巻をはずした。

「それはどういうわけです？」

「わかりません。お宅の事情を私はまだよく知りませんからね。ただ、太郎君が孤独だということだけは事実です。不器用だから画が描けないのじゃないんです。このままだと、いくらやってもむだですよ」

大田氏はだまって葉巻をくゆらせた。部屋の空気は緊張して重くなり、ぼくは体に圧力を感じた。

「あなたがかまわなさすぎるようですし、奥さんがかまいすぎるようにも拝見できます。あんな小さな子にピアノをやらせ、家庭教師をつけ、そのうえ画までやらせるというのは酷です」

とつぜん大田氏は体を起すと、テーブルのはしについたベルのボタンをおそうとして手をのばしかけたが、思いとまって、口のなかで小さく舌うちした。あきらめの表情が彼の顔をかすめた。部屋の灯がすこしかげったような気がした。大田氏はしばらくもの思いにふけっていたが、やがてそれをふりきるようにして顔をあげた。彼の眼は澄んで、裕福な商人の自信ある微笑がもとどおりにただよっていた。ぼくは毛ほどの傷も彼にあたえることができなかったのを知った。

「お礼になにかさしあげたいんですがね」

「……？」

「展覧会のあとの画はもちろんさしあげますが、それだけではどうもあなたの企画をただとりするようだから……」

「粉絵具と画用紙で結構です」

ぼくは安楽椅子《いす》を蹴《け》るようにしてたちあがると、大田氏を待たないで廊下へでた。廊下は清潔で明るく、乳黄色の壁は温い微笑と平安をただよわせていたが、ぼくは病院か水族館を歩くような気がした。歩きながら、ぼくはしきりに毛布のしたで汗ばんでねている小さな体を壁のむこうに感じた。

屋台に寄ってから帰ろうと思ってぼくは駅へいった。夜はすっかりふけて、駅前の商店街は大戸をおろし、灯を消していた。がらんとした広場で二人の若い駅員がキャッチボールをしていた。昼は仕事で遊べないのだろう。彼らは暗がりをすかしておたがいに声をあげ、それを目あてにボールを投げあった。ボールは街燈から街燈へ夜の底に淡い影をおとしながらおぼつかなくとび交った。

つぎに焼酎《しょうちゅう》を二杯飲んでから広場へでたときには、もう駅員たちはいなくなっていた。ちょうど電車がついたばかりのところだった。女給やダンサーをまじえた深夜の客を拾おうとしてあちらこちらの辻や道からタクシーがけたたましいきしみをたてて広場にとんできた。車や人をよけながらぼくは改札口に入って時計をあわせた。空気は埃りとガソリンの匂いにみちていたが、タクシーにのろうとする女のそばを通りかかると、花束のような香水と酒の霧が鼻さきをかすめた。彼女は自動車にのりこむと、ぐったり額を窓によせて外をみた。顔は青ざめていたが、彼女の眼はぬれたようにはげしくキラめいていた。誰が送ってきたのだろう。彼女の視線をたどったが、深夜の駅に人影はなかった。いそいで踵《きびす》をかえした瞬間、大田夫人をのせた車は甲高い苦痛のひびきをあげてぼくのよこを疾過した。

三

川原へいった日から太郎とぼくとのあいだには細い道がついた。彼はアトリエにやってくると、ぼくにぴったり体をよせて、グヮッシュを練るぼくの手もとをじっと眺めた。ぼくは貧しいので子供に高価な画材を買ってやれない。市販のものと効果に大差のないことがわかってから、毎日ぼくはアラビア・ゴムと亜麻仁油《あまにゆ》と粉絵具を練りあわせてグヮッシュをつくる。ときに高学年の生徒が希望すると、カンバスや油絵具までこしらえてやることもある。ぼくはアトリエの床に足をなげだしてすわり、まわりに子供を集めて、ヘラをうごかしながら話をしてやるのである。太郎はぼくのしゃべる動物や昆虫や馬鹿やひょうきん者の話に耳をかたむけ、よほどおもしろいと顔をあげて、そっと笑った。形のよい鼻孔のなかで鳴る小さな息の音や、さきの透明な白い歯のあいだからもれる清潔な体温など、太郎の体を皮膚にひしひしと感じながら、ぼくは彼と何度も逃げたコイのことを話しあった。

「水のなかではね、物はじっさいより大きくみえるんだよ。だけど、あいつはほんとに大きかったんだ。そうでなきゃ、藻があんなにゆれるはずがないもんな。きっとあれはあの池の主だったんだよ」

「……」

太郎はぼくの話がおわると、澄んだ眼にうっとりした光をうかべた。それをみてぼくは巨大な魚が森にむかって彼の眼の内側をゆっくりよこぎっていくのをありありと感じた。ぼくは話をしながら彼の眼のなかの明暗や濃淡をさぐって、何度もそうした交感の瞬間を味わった。そうやってぼくは彼から旅券を発行してもらったのだ。画塾には二十人ほどの子供がやってくるが、そのひとりひとりがぼくにむかって自分専用の言葉、像、まなざし、表情を送ってよこす。その暗号を解して、たくみに使いわけなければぼくは旅行できないのだ。他人のものはぜったい通用を許してもらえないのだ。人形の王国を支配している子には、ぼくはときどき内閣の勢力関係を聞いてやらねばならない。この子は自分の持っているさまざまな人形で政府をつくって遊んでいるのである。

「いまはタヌキかい?」

「いや、象だよ」

「ダルマは隠退したの?」

「うん、ここんとこちょっと人気がないね。あれは階段から落ちて骨が折れたんだよ」

「惜しい奴なんだがね」

さいづち頭がアトリエに出入りするとき、なんとなくぼくはそんな挨拶《あいさつ》を交わしあって完全な了解を感じている。

旅券をくれてからまもなく、太郎はぼくの話のあいだに、とつぜん
「先生、紙」

といいだすようになった。それが度かさなって、ぼくが
「おや、また便所?」

とからかうと
「ヤだな、先生ったら。画を描くんだよ」

そんな軽口をきいて彼はぼくから紙や筆や絵具皿をとっていくようになった。

太郎は新しい核を抱いたのだが、その放射する力がスムーズに流れだすためには時間がかかった。彼の内部にはぼくにも彼自身にも正体のわからない、すっかり形のかわってしまったガラクタが海岸のようにうちあげられているはずであった。彼はぼくと話をしているうちに胎動をおぼえて紙を要求したが、いざ絵筆をとってみると、どうしてよいのかわからなくなって立往生することがしばしばあった。母親に手をとってもらうか、手本をみるか、いつかおぼえた人形をくりかえすか。こんなことしかやったことのない彼は体内のイメージの力と白紙の板ばさみになって苦しんだ。彼は筆でめちゃくちゃになぐった紙をもってきて、ぼくにささやくのだった。

「先生、描いてよ。ねえ、こないだのコイだよ、ねえ……」

彼は体をすりよせ、ひかえめながらも一人息子の傲慢《ごうまん》さをかくした甘え声をだした。だまっていると、ぼくの体をおしたり、ついたり、ひょっとするとうしろにまわって背をつねったりする。それも皮膚を厚くつままず、ほんとに効果を計算して爪《つめ》と爪だけで焼くようにチリッとやるのである。その痛さに身ぶるいしながら、ぼくは彼があえいでいるのを感じた。また、いよいよ脱皮しかけたなとも思った。抑圧の腫物《はれもの》のかさぶたを全身につけたまま彼はぼくにむかって迫ってきはじめたのだ。こうなると食われてしまうよりほかに道がない。ぼくは山口のように美しく器用にさけることができないのだ。彼は自動主義を子供にあたえることで自分を守った。つぎからつぎへ画塾にやってくるさまざまな症状の子供とつきあっているうちにぼくは自分自身の画を描く動機を失ってしまったのだ。気がつくとぼくは小さな、生きた肉体の群れをカンバスと感ずるようになっていた。

川原で太郎にカニをとらせたのは泥を知らせるためであった。彼の体をしばる、鼻もちならない潔癖をたたきこわすためであった。このことで彼は地殻の厚さや、やわらかさや、温かさを知ったのだ。つぎの日曜にやってきた彼にフィンガー・ペイントの瓶をさしだすと、彼は以前におびえたことをすっかり忘れ、さっさと蓋《ふた》をあけて指をつっこむと、幼稚園へいってるずっと小さな子供たちといっしょになって紙をまっ赤にぬりたくった。そして、いくらかてれくさげにいったのである。

「お化けだよ」

「はあ？……」

「お化けが山ンなかにいるんだよ」

彼は指のさきで紙をたたいてみせた。

しばらくして彼は、グヮッシュを練りおわってタバコをふかしているぼくのまえにたった。

「……？」

眼でうながすと、彼はそっと小声でたずねた。

「ねえ。お化け、どこへいったか知ってる？」

真顔で、まるで落し物でも聞くような口ぶりである。

「山だろう？」

太郎は不興げに頭をふった。ぼくはそれとなく新しい紙をとりだしながら
「お化けは足が速いからなァ。ぼくの知ってる奴なんざ、お酒を飲むと、いちもくさんにつっ走ってね」

「どこへいったの？」

太郎は眼を光らせた。

「デンマークへいったよ」

「ちがうよ、町へでてきたんだよ」

彼はぼくの手から紙をとり、筆をポスター・カラーの絵具皿につっこむと、もどか

しげによたよたとなにか描きあげた。まだぬれたままになっている非定形をみせて彼はいうのだった。

「お化けが子供になったんだよ」

「ほう」

「子供になってね、バスにのったんだ」

「なるほど」

「そいで、死んじゃった」

彼はそういって画の一部をぬりつぶした。

この日は二枚だけ描いて彼は帰っていった。フィンガー・ペイントの分は完全なななぐり描き、ポスター・カラーの分もほとんど形をもたぬ乱画にちかいものであったが、いずれも赤を使った点でぼくの注意をひいた。画そのものにも、また彼の叙述内容にも、ふつうの子供より彼が感情生活で数年おくれている事実はまざまざと露呈されているが、経験によってぼくはその赤を怒りのサイン、そして攻撃と混乱の表徴と考えた。太郎はなにものかとたたかったのだ。なぜお化けは子供になって山からでてバスにのって死なねばならなかったのか。

太郎には友人がいない。彼は仲間に対して圧迫感を抱いている。母親に禁じられて彼は粗野で不潔な仲間とまじわることができず、いつもひとりぼっちでいる。その圧力を彼は画で排除しようとしたのだ。だから子供はお化けであり、お化けは死なねばならなかった。彼は画で復仇《ふっきゅう》したのだ。この小伝説にはそんな仮説のための暗示があるようだ。おそらく根本的な点でそこに誤りはないだろう。ただ、ぼく自身はそういう軽快な合理化だけで満足できないのだ。ぼくは赤に太郎の肉体を感じたのだ。環境に抵抗して、いつどの方向へどんな力で走りだすかわからない肉体を、いよいよ彼も回復したのだ。ぼく以外の人間にとってはしみでしかない画用紙をまえにぼくはぽっかりとひらいた傷口を感じた。血は乾いて、壁土のように、白い皮膚にこびりついていた。ぼくは夕方のアトリエで、子供たちののこしていった異臭をかぎつつ、さらに傷口を深める方法をあれこれと考えた。

ある日、ぼくはあらかじめ電話で在宅をたしかめておいてから大田夫人を訪ねた。彼女に会って確認しておきたいことがぼくにはいくつかあった。山口にはない特殊な立場があったので、ぼくは大田氏に面とむかって太郎の歪形《わいけい》を訴えることができたが、当分彼は信用できそうになかった。彼は有能な商人かもしれないが父親としては資格皆無の男のようだ。彼はぼくの仕事を邪魔するばかりである。

どんな眼があらわれるだろうかとぼくは軽い不安を抱いて待ったが、玄関にでてきた夫人は健康で、清潔で、一見、酒や終電とはまったく関係のなさそうな家庭人であった。彼女はぼくをみると両手をそろえてつつしみ深く頭をさげ

「お待ちしておりました。どうぞこちらへ……」

ぼくは、彼女について廊下を歩き、応接室に入った。太郎を川原へつれだした日にも入った部屋である。こころよい乳黄色の壁には春の午前の明るい陽が踊り、二、三点の画にも透明な斑点《はんてん》が浮いていた。いずれも画は大田氏の庇護《ひご》を受けている作家のものらしかったが、彼は趣味がずいぶん気まぐれのようで、セザンヌまがいのリンゴと、ニコルソンまがいの山口の抽象画とが臆面《おくめん》もなくむかいあってかかっていた。おそらく大田氏は現物をみないで秘書に金を払わせるだけではないか。ぼくはそんなことを考えながらタバコをふかし、夫人が席につくのを待った。

しばらく挨拶を交わしたり、太郎の近況を話したりしているうちに、はやくもぼくは後悔しはじめた。夫人はぼくにまったく警戒心を抱こうとせず、型どおりの良妻賢母を演じて、いささかも疑わないのである。先夜、駅前広場でぼくにみられていることに、彼女はまったく気がついていないのだ。ぼくが太郎の画や性格を話すと、彼女はいちいちうなずいて、完全にそれを認めたあげく、ほっと、ため息をついた。

「ほんとに、うちの子はかわっておりります。すこし異常なんじゃございませんでしょ

うか?」

彼女の顔と口調には苦笑と真率さが相半ばしてまじっていた。ぼくはこれには答えなかった。ぼくのところへ子供をつれてくる貧しい母親たちの十人中八人までがこの質問を発するが、彼女らの聞きかたには大田夫人とすこしかわった匂《にお》いがある。彼女らは自分の子供が異常ではないかと恐れているが、ぼくがいちいち例証をあげてそれを否定すると、きまってなにかしらけた表情を浮かべる。ひと口にいえば不満なのだ。彼女らは異常児をおそれているくせに正常児だといいきられると不平顔をする。申しあわせたようにその表情は共通しているのだ。ぼくはそれをひそかに天才願望ではないかと臆測する。

「この頃はすこしかわってきましたよ。もうすこしたったらおわかりになるでしょう」

ぼくは大田夫人がどれほどの必要に迫られてその質問をしたのか、はなはだあいまいな気がしたので、はぐらかしてしまった。挨拶のしかたを心得た、とでもいえるような様子が彼女にはあった。

さらに大田夫人の良妻賢母ぶりにうたれたのはぼくが太郎の過去を発掘したいきさつを打明けたときであった。ぼくがためらいを感じながらそっとさしだしたのに、彼女はそのカードをみてなんの動揺も起さなかったのだ。ぼくは太郎が田舎でエビガニとりをしていたという記憶が今後とも重要な役割を果たすだろうと思うことをのべ、当時の彼の生活をたずねたのである。

「……なんだか、お母さんといっしょに溝《みぞ》で糸をたれたことがあるなんてなこともいってるんですが？」

「そうでございましょう」

夫人はぼくのにごした言葉尻《じり》を静かな口調でおぎなった。

「あの子のお母さんという人がとてもよくできた方でございましてね、それはもう子供の教育によく気をお使いになったそうで……なにしろ田舎のことでございますから娯楽といってもせいぜい地方廻《まわ》りの村芝居ぐらいしかやっておりませんでしょう。それをいちいちだしものの筋書きから役者のせりふまで御自分で前の晩にごらんになって、これならと安心のできるものだけお見せになったんですのね。とても神経のこまかい方だったようにお聞きしております」

彼女はそういうとコーヒー碗《わん》をとりあげ、ひと口すすってから、あきらめたようにつぶやいた。

「私もいろいろ努力はしているんでございますが、しつけがきびしいといわれるばかりで……」

彼女は眼を伏せて、コーヒー碗をそっとおいた。

ぼくは手持ちの札が切れたのを感じた。ぼくは焦躁《しょうそう》をおぼえて記憶を繰った。はじめて夫人が太郎をぼくのところへつれてきた日のこと、山口に対してしんらつで的確な評を一言下したこと、川原へ太郎をつれだすときに言葉とはひどくうらはらな、なげやりな違和感をあたえられたこと、そして夜ふけの広場でかいまみた眼の異常な輝きと酒の霧。このなかでもっともぼくに気がかりなのは、ぼくの直感だけをたよりにした、あの散歩の日の玄関さきでの印象であった。彼女はあのとき、ぼくが、太郎の新しい運動靴をみて、川原でよごれるからと注意したのに対し、先生といっしょなら結構でございますといったのだ。それだけのことで、はっきりした意志の表示はなにもない。そのくせぼくはなにか氷山のしたに沈むものを感じさせられたような気がしたのだ。彼女には先妻の典型ぶりに対するあせりがあることはたしかだ。子供のしつけに対する彼女の趣味にはどこか過剰なものがある。おそらくそれは山口のいうように彼女の善意からくるものにちがいない。その方向が誤まるのは彼女の若さ、未経験さによるものだ。彼女は太郎を肉体で理解できていないのだ。だからきびしい訓練教育をほどこして彼を破産させてしまったのだ。しつけのきびしさを非難されることを口にはするが、彼女は果たしてどれだけそれを自覚していることだろうか。

彼女はぼくがコーヒーを飲みほしたのをめざとくみつけてベルをおした。この邸《やしき》ではどの部屋にもベルがついているらしい。老女中があらわれると、彼女はぼくに聞いて、緑茶を命じた。女中が銀盆をさげてでていくあとを追って彼女は応接室をでると、やがて毛糸の編針と玉をもってもどってきた。膝《ひざ》のうえにひろげたのをみると、それは九分どおりできあがった太郎のセーターであった。彼女はそれをひろげて陽にかざし、苦笑した。

「もう春ですのに……」

そういって彼女はセーターを編みにかかった。

彼女は如才なくぼくとの話にあいづちをうち、女中が茶をもってくるとすかさず菓子皿にそえてぼくにすすめるなど、あれこれと気を配りながらも、手だけは一度もとめなかった。ぼくはそれをみて駅前広場の彼女の姿と思いくらべ意外な気がした。彼女の指は正確にとびかい、左右にくぐりあい、糸を攻め、穴を狙《ねら》って狂うことがなかった。彼女がそんな資質をもっていようとはまったく思いもよらないことであった。なにか誤算したのではないだろうか。ぼくは自分の印象に軽い不安の気持を抱きながら、大田氏に訴えたのとおなじ内容のことを彼女に話した。

「この頃はすこしかわってきたんですが、太郎君はすこし孤独すぎるようですね。一人息子というのはべつになにもなくてもそれだけで充分異常な状態だと考えていいんですが、太郎君はちっとも友だちのことを画に描かない。もうすこしみんなと遊ぶようにおっしゃってくださいよ」

彼女は毛糸を編みながらうなずき、しばらく考えていたが、やがて顔をあげると
「おっしゃるとおりでございますの。あの子はほんとに内気でしようがありません。それに私が口をだしすぎるって、主人からもよくいわれるんでございますが、学校のお友だちであまりよくない人もいらっしゃるので、そうそう放任ばかりもしてられないと思って、つい口をはさみますと、あの子はもうそれでいじけてしまって……」

「子供には子供の世界がありますからね」

「ええ、それはそうでございますが……」

「すこし手荒いんですが、太郎君なんか、いい子になることを教えるより、血みどろになって喧嘩《けんか》することを教えたほうがいいように思いますね。じっさい喧嘩はしなくても、すくなくともそれだけの気持の基礎ですね、それをつくってやるべきじゃないかと思うんですよ。そうすれば自然に画もしっかりしてきます。画の上手下手はそのつぎの問題ですよ」

「……」

「泥まみれでも垢《あか》だらけでもよいから環境と争えるだけの精神力をもった子供をつくりたいですね、そういう子供の画こそ美しいし、迫力もあるんですよ。いまのままじゃ太郎君はさびしすぎます」

「山口さんとはすこし御意見が違っていらっしゃるようですね」

「あれは学校で子供を大量生産しています。ひとりひとりかまっていられないんですよ。だから……」

ぼくは自分の語気に気がついて言葉をあらため、静かにいった。

「個展がすんだら彼も画塾をやるでしょうから、いいとお思いになったらかわってくださって結構ですよ」

夫人はぼくのいったことをすぐ理解したらしかったが、なにもいわずに編針をとりあげた。せっせとわきめもふらずにはたらきだした彼女の手をみて、ぼくはいつか山口に不信を表明した彼女の言葉を思いだし、すくなくともこの点に関してだけ太郎は救われたと感じた。夫人はしばらく編みつづけてから手をとめ、編目をかぞえながら、ふとつぶやいた。

「……でも、孤独なのは太郎ばかりじゃございませんわ」

彼女はそういうと窓にちらと眼をやり、なにごともなかったようにすぐ編針をうごかしにかかった。その手は感情をかくしてよどまずたゆまず毛糸のうえを流れた。ぼくは彼女に一瞬ひどく肉にあふれたものを感じさせられた。ぼくは彼女の眼のなかをのぞきたい欲望を感じた。きっとそこには短切な夜の輝きが発見されるはずであった。

「……」

ぼくは口まででかかった言葉をのみこんだ。彼女の手の速さがぼくをこばんだ。ぼくは体のまわりに壁と扉と、そして静かすぎ、堅固すぎる朝を感じて足をふみだせなかった。はじめて太郎の画をみたときに感じた酸の気配をぼくは夫人の皮膚のしたにもまざまざと感じて沈黙におちた。大田氏が部屋を陰険に領していた。あきらかに夫人は編んでいるのでなく、殺しているのだった。

……山口にはそれからしばらくして会った。個展の招待状をくれたのでぼくは画廊に彼を訪ねた。彼は小学校がひけてから画廊にまわるということだったので、行ったのは夕方であった。ぼくは彼と話をするまえに署名帳にサインし、陳列されてある二十点ほどの抽象画を一点ずつみてまわった。蛍光燈に照らされた壁にはいずれも快適な室内用の小旋律がただよっていた。しかし、結局彼とぼくとはすっかりはなれてしまったのだ。彼は屈折の苦痛を忘れ、マチエールの遊びを心得すぎてしまったようだ。

はっきりいって、ニコルソンの気分的な小追随者としての意味しか彼にはなかった。

画廊の受附のよこにある小部屋でぼくは彼としばらく話をして、大田家に関するさまざまの知識を得て帰った。

「奴《やっこ》さん、またなにか企《たく》らんでるらしいね。俺にも審査員になれとかいってきたよ」

昨夜おそくまで作品に手を入れていたという山口の髪は乱れて、かすかにテレピン油の匂いがしみついていた。めいわくそうなことをいいながらも彼には児童画コンクールの審査員に抜擢《ばってき》されたことをよろこんでいるらしい様子がかくせないようであった。

大田氏は終戦直後にそれまで勤めていた絵具会社をやめて独立し、自分で工場をたててクレヨンやクレパスなどの製造をはじめた。工場といっても、創業当時はカルナバ・ワックスやパラフィンなどの原料油を釜《かま》で煮て顔料とまぜあわせて、それをいちいち薬罐《やかん》で型に流しこんで水で冷やすというような手工業であった。それを彼は数年のうちに市場を二分するまでの勢力に育てあげたのだから、おそるべき精力であった。その間、彼は妻子を故郷におき、自分は工場の宿直室に寝泊りして、昼夜をわかたず東奔西走した。彼は事業に熱中して妻子を忘れ、月に一度仕送りをすることをのぞいてはほとんど手紙もださず帰省もしなかった。自分が食うに困るほどの破綻《はたん》に追いこまれても仕送りをたやすようなことはぜったいしなかったが、それはあとになって考えると事務家としての正確への熱度が主であったようだ。妻が死んだとき、彼は業者の会合で主導権をにぎるための画策に忙殺されて、かろうじて骨壺をひきとるために一日帰省しただけであった。そして、足手まといになるばかりだからと称して太郎を自分の実家にあずけたままかえりみようとしなかった。

父親の愛撫《あいぶ》の記憶もろくにもたないですてられている太郎をひきとったのは、いまの大田夫人である。彼女は大田氏の僚友で、絵具会社の重役の親類にあたる旧家の出身であった。彼女の実家は事務機械製造を営んでいたが、当時は事業不振で、資金面で大田氏から多大の援助を受けていた。そのため、彼女が大田氏と見合結婚をしたとき、人びとは彼女が金銭登録器といっしょに買いとられたのだと蔭口《かげぐち》をきいた。

再婚後も大田氏の冷感症は回復しなかった。彼は事業が安定期に達しても安まることを知らなかった。彼にはゴルフから蓄妾《ちくしょう》にいたるまでの道楽らしい道楽はなにひとつとしてなく、力のすべてを販売網の拡張と新企画につぎこんで、家庭をまるで念頭におかなかった。没落華族の旧邸を買いとり、葉巻をくゆらし、コニャックを飲んでも、彼は依然として工場の宿直室に寝泊りしているような考えでいるらしかった。ただ強いばかりが取柄のこの商人をまえにして大田夫人は当然、方向を失ってしまったのだ。聡明《そうめい》な彼女は不和のつめたさを表面にだすまいとしてみのることのない努力と工夫をくりかえした。彼女は夫に早くあきらめをつけると太郎の塑型《そけい》に熱意をそそいだが、その結果はぼくのところにもちこまれた不毛の肉体でしかなかった。彼女がどれほど苦慮しても太郎は彼女をイメージとしてとらえることができなかった。彼は継母の善意を支えるものが孤独であることを敏感にかぎとっておびえ、暗部に後退し、チューリップと人形をくりかえすことで防壁を築きあげたのだ。夫人はＰＴＡに出席し、百貨店の教養の会に入り、ピアノ教師を呼び、家庭教師をつけ、友人を選択したが、太郎にはそれがことごとくぬけ道のない網としてしかうけとれなかったのだ。夫人は太郎を起居動作で支配しながら彼の内部はまったく支配できなかった。彼女は母親として若すぎ、妻としては孤独すぎた。

「……考えてみれば気の毒なひとなんだよ。大田のおやじさんには仕事がある。太郎には君がついた。しかしマダムには行き場がないんだね。こないだの晩も画を描いているところへふいにやってこられてね、なにやかやしゃべっているうちに飲もうということになったんだ。酒場を何軒歩いたかなあ、俺は告白されるのがにが手だから酒で逃げることにしたんだ。飲まなきゃ、なんだか生臭いことになりそうだったからな」

山口は制作の疲労のためか、めずらしくシニシズムのない口調でつぶやいた。

「あんなおとなしい奥さんでも荒れるんだね。泣きもわめきもしないが、とにかく飲んだね。俺はたじたじしたよ。なんでも彼女のいうところでは、君には感謝はするが、いっしょに飲む気にはなれなかったそうだ」

「どうして？……」

「一種の嫉妬《ジェラシー》だろうね」

「……」

「私が何年かかってもやれなかったことをさっさとやってしまいそうだとかいって、えらく君のことをほめてたよ。君は太郎を彼女からとってしまったんだ。俺は受持教師のくせにそれがやれなかったんで、すっかり信用をなくしちゃったなあ」

山口は眼じりの皺《しわ》に苦笑をきざむと、ひえた番茶をゴクリと飲んだ。やせた、長い首でノドぼとけがゆっくりうごいた。彼は茶碗をテーブルにおくと、しばらく考えてから、ぽつりといった。

「彼女が俺と飲んだのは、俺を軽蔑《けいべつ》してるからだよ」

彼はそういってから言葉を反芻《はんすう》するようにマッチを折ったり、茶碗をいじったりして考えこんでいたが、すぐにたちなおった。彼は机にちらばった招待状をそそくさとかき集めると、ポケットにしまいこみ、すっかりつめたくなった眼でぼくをみた。

「今日は、すまないが、これから批評家のところへいくんでね……」

彼の頬をちらとこざかしい野心家の表情がかすめた。ぼくはそれを合図にたちあがると、彼といっしょに部屋をでた。細い首のうえで大きな頭をゆらゆらさせながら階段をおりてゆく彼の後姿にぼくは妙なわびしさを感じさせられた。

ぼくは山口とわかれてから電車にのり、駅でおりると、いつもの屋台へいった。紺で筆太に渦巻を描いた欠け茶碗で焼酎《しょうちゅう》を飲み、臓物を頬張りながら、ぼくはいつかの夜の大田夫人の眼を考えた。大田家に対する山口の解説はだいたいにおいて誤りがないとぼくは思う。川原へ行く日に玄関さきで彼女から感じさせられたなげやりな印象、ひどくうらはらな違和感は彼女の孤独のサインだったのだ。どういうきっかけで彼女が邸からぬけだす衝動をおぼえたのかはわからないが、彼女は自分の衰弱にいたたまれなかったのだろう。明るい灯に照らされた壁のなかで毛糸を編んでいるうちに、とつぜん彼女は指が死ぬのを感じたのだ。何時間かのちに駅へもどってきたとき、彼女はアルコールの力で鉱物より固く凝集し、輝いていた。あのとき声をかけたらぼくは彼女から智恵や礼節や暗示ではない、もっとも距離の短い苦痛の言葉を聞くことができただろう。彼女の眼はガラス窓のむこうで膜をやぶって光っていたのだ。彼女は緊張で青ざめ、なにを考え、なにをみつめていたのだろう。

四

ヘルガとの関係は切れたが、ぼくは子供たちにアンデルセンの童話を話す計画をかえなかった。大田氏の企画が新聞や雑誌に発表され、各小学校にも案内のポスターが配られたので、子供たちはみんなコンクールのことを知っていた。教室で先生からいわれたために、ぼくのところへ、どう描いたらよいかを聞きにくる子もあった。しかし、ぼくは自分の生徒をコンクールに応募させる気持にはなれなかった。アトリエの隅で画の宿題をしている彼らの作品をみると、恐れていた兆候がまざまざとあらわれていた。彼らは先生の話した童話を街に氾濫《はんらん》する像と色でとらえた。子供雑誌や童話本や絵本などにある挿画《さしえ》をまねて彼らは描きだしたのだ。どれほどすぐれていてもそれらの画はおとなの作品だ。彼らは教師にせかれるために自分の努力をすてて安易な模倣の道を選んだのだ。アトリエに絵本をもってきておたがいに交換しあっては錫《すず》の兵隊やイーダちゃんを描いている子供をみてぼくはみじめな気がした。それは教師の熱意を語るというより学校施設の貧困を暗示するものであった。ぼくの頭からはどうしても大田氏の策略がぬぐいきれなかった。〝教室賞〟がなければ多忙な教師は宿題にまで画を描かすというような努力をけっして考えないだろう。

ぼくの仕事にも多くの危険がふくまれていた。ぼくはアンデルセンの童話だからといってあらたまるようなことはせず、ごくふつうの日常の会話のなかにそれをとかそうと努めた。そして、物語の筋書だけはアンデルセンで、人名や地名はなるべく日本、しかもできることならそれも廃しようと考えた。エキゾチシズムをほのめかせば子供はたちまち大田氏の網にひっかかり、出来合いの概念をさがしに絵本へ走るだろう。のみならず、おとなが考えるほど子供はアンデルセンをよろこばないのだ。なんの加工もなければ白鳥や人魚姫よりスーパーマンや密林の王者のほうが子供の生活とむすびついているのだ。子供がエビガニを描き、遠足をしゃべり、母親の手を報告するようにアンデルセンを彼らの生活にとけこませてやらねばならない。そのためには演出や話術が必要だ。もちろんぼくは自分が真空地帯のなかに住んでいるのではないことを知っている。いくらふせごうとしても絵本は侵入するのだ。概念は洪水を起している。街角と映画館には劇が散乱している。子供の下意識から紙芝居や雑誌や銀幕の像を追いだすことはできない相談だ。しかし、すくなくともぼくは彼らにそれを手本として利用するようなことをさせてはならないのだ。白鳥や錫の兵隊を彼らのなかで熱い像にして運動させてやらねばならないのだ。ブランコやコイがまきおこすのとおなじ圧力を彼らの体内につくることだ。

ぼくは人形の王国の政権移動やお化けの行方を話しあうのとおなじ口調で、アンデルセンを書きかえてしゃべった。ぼくの部屋には童話本が山積しているが、一冊も子供にはみせなかった。ぼくはディズニー映画のかわりに動物園へ行き、展覧会の名画鑑賞のかわりに川原へ子供をつれて行った。いずれは彼らの画に解説をつけてデンマークへ送ってやるつもりではあったが、ぼくはそのことを一言も口にしなかった。子供が画をもってくるとぼくは口をきわめて激賞して、みんな一律に三重マルをつけた。教室の習慣からぬけきれないために彼らにはマルがどうしても必要だったのだが、ぼくの博愛主義に呆《あき》れて彼らはしまいにマルを期待しなくなった。

ぼくには自信のないことがひとつある。それはぼくの力がどれだけ子供のなかで持続されるかということだ。彼らは一週間に一回か二回ぼくのアトリエへくるきりだ。あとはぼくの手のまったくとどかないところで生活しているのだ。ぼくのアトリエでどれほど自我を回復しても一週間たてば学校や家庭で酸を浴びてすっかりもとどおりに硬化してあらわれる子供が何人もいる。それをみるとぼくはおびただしい疲労を感ずる。子供の内部を旅行する疲労はどれほど道が交錯していてもぼくには耐えられるが、彼らのうしろにある広大な荒蕪地《こうぶち》を思うときの疲労は体の底にまでひびいて、いくら焼酎を飲んでもまぎらせないのだ。

はじめのうち、ぼくは太郎にこの疲労感をおぼえていた。彼の家庭の状況を知ってみると、いよいよ手のつけられないような気がした。大田夫妻は何年もかかって彼をそれぞれの立場から黙殺するか、扼殺《やくさつ》するかしてきたのだ。家庭のつめたい子は何人もいる。しかし彼らはたいてい貧しいか、富みすぎていないかで、生活をもち、友人があり、土の匂《にお》いを身につけていた。ところが太郎にはなにもないのだ。それぞれ忠告はしたものの、大田氏にも夫人にもぼくは期待をかけなかった。ぼくは自分ひとりでやれるところまでやってみようと考えた。ただ、お化けを赤で殺して帰ってゆく彼の後姿をみると、ぼくは彼を待つ美しい廃墟《はいきょ》を考えて何度も憂鬱《ゆううつ》を感じ、つぎの日曜にやってくる彼を迎えるのが不安であった。

その不安は、しかし、やがてぼくのなかでおぼろげな期待にかわりだした。太郎がすこしずつ流れはじめたのだ。ぼくと話しあったり、画塾の空気になじんだりしているうちに、エビガニや、さいづち頭や、ゴロやサブなどと彼は遠慮がちながらもまじわって、いっしょに公園や川原で遊ぶようになったのだ。綱ひきや相撲にも彼は非力ながらも仲間に席をあたえられ、ブランコにのせても汗ばまなくなった。そうした変化は緩慢であった。何日もかかって彼はそっと仲間のなかに入っていき、めだたぬ隅に身をおいて、まわりでひしめく力や声をおびえつつ吸収した。家庭や学校にまったく生活のないことが、この場合かえって彼をアトリエにひきつける大きな原因となったようだ。彼はひとつの画を描くと、一週間かかってそれを醱酵《はっこう》し、つぎにアトリエへくると前の週のつづきを描いた。あるとき彼は家を描いて点を画面にいっぱい散らばしてぼくに説明した。

「みんな遊んでるのを、ボク、二階からみてるんだよ」

彼はそういって点をさした。そのひとつずつが運動場の子供であり家は校舎であった。風邪をひいて遊べなかったときのことをいっているのだ。つぎの日曜には家はなくなり、点の群れだけになって、彼は稚拙な子供の像をそれにそえていった。

「ボク、走ってるんだよ」

「風邪がなおったんだね」

「うん。それに運動会がもうすぐあるからね。練習してるんだよ」

「子供がメダカみたいにいるね」

「運動場、せまいもの」

ぼくは彼を仲間といっしょに公園へつれていき、競走をさせた。彼は栄養のゆきとどいた均斉のとれた体をしていたが、あまり運動をしたことがないために、長い手足をアヒルのようにぶきっちょにふって走った。ひとしきり競走をしたあとで、ベンチにひろげたビニール布にもどると、さっそく彼は一枚の画を描きあげてぼくのところへもってきた。

「先生、ボクが走ってるんだよ」

画には点がなくなり、ひとりの子供が筆太になぐり描きされていた。彼は自己主張をはじめたのだ。いちばんびりだったので彼は他の子供を黙殺して自分だけ描いたのである。ぼくは脇腹《わきばら》にぴったり肩をおしつけてくる彼の細い体と、そのなかでぴくぴくうごく骨や、やわらかい肉の気配を感じながらうめいた。

「すごいなあ。ザトペックみたいじゃないか。は、みんなみえなくなったぞ!……」

太郎のくちびるから吐息がもれ、眼に光が浮かんだ。

「ボク、もっと走ったよ!」

彼は描いたばかりの画を惜しげもなくみすててベンチに駈《か》けていった。

もう二度と彼はチューリップや人形を描かなくなった。そのときどきの気持にしたがって彼は仲間や動物や山口やぼくをつぎつぎと画にしていった。物の形といった点からみると彼の画は乱画にちかいものであったが、描くたびにそこにはなにかのつよい表徴、訴えや、喜悦や、迷いや、あえぎの呼びかけがあらわれた。彼の画に人間が登場してうごきはじめた以上、ぼくは整形をあせる必要がなかった。じじつ遠近法や均衡の計算は外界と彼との関係が回復されるにつれて画のなかに自然におこなわれるようになった。ぼくは彼の姿勢がくずれないようにうしろから支えていてやればよかった。ぼくは何回と知れず彼にさまざまな行動を教えてやったがその末にわかったことがひとつあった。やはり彼はどうしても父や母の像を描かなかった。

ある月曜日の夜、ぼくはとつぜん家の外でとまる自動車のきしみを聞いた。ちょうど夕食をおわって、ベッドに寝ころび、ハンス・エルニの画集を眺めていたところだった。エルニはクロード・ロワの解説以後〝スイスのピカソ〟と呼ばれている男である。何年間もぼくは彼を愛してきたが、さいきんはあまり完成されてしまって、ちょっとついていけないものを感じている。写実と抽象を結合した彼のポスターの細部に熱中しているところをぼくは呼び声でひきもどされた。

アトリエに電燈をつけ、玄関の扉をあけると、運転手が太郎をつれてたっていた。運転手はぼくをみると恐縮して制帽をとり、頭をかきながら説明した。

「坊ちゃんがどうしてもつれていけって聞かないもんですからね。ちょうど奥さんも旦那さんもいらっしゃらなくて、さびしいらしいんです。なんでも画をみてもらうんだとかおっしゃってるんで、すみませんが、先生ひとつ……」

「いいよ、お入り」

画用紙を小脇にかかえこんでいる太郎をぼくがひきとると運転手はホッとしたように自動車にもどっていった。

「あとで俺が送っていくから、もうこなくていいよ」

運転手の背に声をかけてぼくは扉をしめ、太郎をつれて部屋にもどった。ぼくはベッドに散乱した古雑誌や灰皿やネクタイをかたづけ、エルニの画集を壁の本棚にもどすと、太郎にぼくとならんでベッドにすわるようにいった。太郎は敷ぶとんのうえに腰をおろしてから、けげんそうに顔をあげた。

「先生……」

「なんだい?」

「このふとんはどうしてここんとこだけ薄くなってるの? ホラ、皮だけじゃない」

「……それはね、つまり俺の寝相がいいからさ。いつもおなじところに寝て、おなじところに足をおくから、そこだけ掘れちまうんだよ」

「ボクだって寝相はいいけれど、こんなにならないよ」

「君はまだ子供だから体が軽いのさ」

「穴があいてるのね」

「うん、そこへちょうど足がコトンとはまっていい工合《ぐあい》だよ」

彼はまだ納得がいかないような顔で、ぼくの無精をつつきそうな気配であったから、いそいでタバコに火をつけるとぼくは彼の手から画をぬきとった。

「ほう、描いたね」

「学校から帰ってずっと描いてたんだよ」

「そりゃたいへんだったねえ」

ぼくは、まだべっとりと絵具のぬれている画用紙を一枚ずつベッドにならべた。それをみてぼくは太郎が邸でなにをしていたかがすっかりわかった。彼は昨日の日曜日にぼくの話したアンデルセンの童話を画にしたのである。昨日は雨だったからぼくは動物園にも川原にも子供たちをつれていってやれなかった。そこで、一日じゅう童話をしゃべったのだ。その反応は太郎の画のひとつずつにはっきりあらわれていた。『マッチ売りの少女』や『人魚のお姫様』や『シンデレラ』などがたどたどしい線と、関係を無視した色彩とでとらえられていた。ぼくはくわしく各作品をしらべてみて、太郎のめざましい成長と努力を感じた。どの作品も、表面的にはほかの子供とたいしてかわらなかったが、何ヵ月かまえの太郎は完全に窒息していたのだ。混乱状態にもせよ、それがこれだけのイメージを生むようになったということは注目すべき開花だとぼくは思った。ただ、少女や人魚や馬車などのなかにある理解が類型的なエキゾチシズムをぬけきれていない点にぼくは自分の才能の不足と空想画の限界を暗示されるような気がした。

ぼくは五枚の作品を一枚ずつ観察してはベッドのよこにおいた。さいごの一枚が色の泥濘《でいねい》のしたからあらわれたとき、思わずぼくはショックを感じて手をおいた。ぼくはすわりなおしてその画をすみからすみまで調べた。この画はあとの四枚とまったく異質な世界のものであった。越中《えっちゅう》フンドシをつけた裸の男が松の生えたお堀端を歩いているのである。彼はチョンマゲを頭にのせ、棒をフンドシにはさみ、兵隊のように手をふってお堀端を闊歩《かっぽ》していた。その意味をさとった瞬間、ぼくは噴水のような哄《こう》笑《しょう》の衝動で体がゆらゆらするのを感じた。

「……！　……！」

ぼくは画を投げだすと大声をあげて笑った。ぼくは膝《ひざ》をうち、腹をかかえ、涙で太郎の顔がにじむほど笑った。ベッドのよこの机にころがっていた中古ライターに没頭していた太郎はぼくの声にふりかえり、きょとんとした表情で、笑いころげるぼくを眺めた。ぼくはベッドのスプリングをキィキィ鳴らしながら太郎にとびつき、肩をたたいた。

「助けてくれ、笑い死しそうだ！」

太郎はぼくのさしだす画を眺めたが、すぐつまらなさそうに顔をそむけてライターをカチカチ鳴らせにかかった。ぼくはベッドからとびだすと机のひきだしをかきまわして、ねじまわしをみつけ、太郎の膝に投げた。

「ブンカイしてごらんよ」

「こわれてもいいの？」

「いいよ、いいよ。それは君にあげる」

太郎の眼と頬に花がひらき、火花が散った。彼はねじまわしをつかむと、皮だけになったふとんに腹這《はらば》いになり、ライターを攻撃にかかった。

ぼくはなおもこみあげる笑いで腹をひくひくさせながら彼のそばに体をのばした。実験は完全に成功した。途方もない成功だ。昨日、ぼくは『皇帝の新しい着物』を話してやったのだが、話すまえにぼくはこの物語がほかの物語よりはるかに装飾物がすくないことを発見して、即興で抽象化を試みたのだ。

「むかし、えらい男がいてね、たいへんな見え坊な奴でな、金にあかせて着物をつくっちゃあ、一時間おきに着かえては、どうだ男前だろう、立派にみえるだろうと、いばっていた……」

そんな調子でぼくはこの物語を骨格だけの寓話《ぐうわ》に書きかえてしまったのである。この物語にふくまれた「王様」や「宮殿」や「宮内官」や「御用織物匠」などという言葉はたとえ内容がわかっても子供を絵本のイメージに追いこむ危険があった。『シンデレラ』や『錫の兵隊』や『人魚のお姫様』ではこんな操作ができなかった。太郎の描いたあとの四枚の作品は根本的に書物の世界である。外国の童話を話せば外国の風物が児童画にまぎれこむのは当然だ。だからぼくは子供がほんとに描きたくて描くのなら絵本の既成のイメージが画にまぎれこんでもしかたがないと思う。しかしぼくはネッカチーフをかぶった少女やカボチャの馬車を描かせることを目的としているのではないのだ。『皇帝の新しい着物』では権力者の虚栄と愚劣という、物語の本質を理解させてやりたかったのだ。

太郎はそれを「大名」というイメージでとらえた。そのため背景には松並木とお堀端が登場したのだ。ぼくは大田夫人の述懐を思いだす。太郎は父親にすてられて生母といっしょに村芝居をみにいった。自家用車や、唐草模様の鉄柵《てっさく》や、芝生や、カナリアなどというものにかこまれて暮らしていながら越中フンドシとチョンマゲがさまよいこんだのはぼくの話が骨格だけで、なんの概念の圧力もないために、むかしの記憶が再現されやすかったからだ。おそらくこの画のイメージは村芝居の役者と泥絵具の背景であろう。この画は薄暗い荒莚《あらむしろ》の桟敷《さじき》から生まれたのだ。汗や足臭や塩豆の味やアセチレンガスの生臭い匂いなどが充満した鎮守の境内から生まれたのだ。そしてそれはエビガニとともに太郎がもっとも密着して暮らしていたにちがいない世界であった。

ベッドに寝そべってライターいじりに夢中になっている太郎をぼくは新しい気持で眺めた。彼は孤独を救うために午後いっぱいかかって画を描いたのに、もうふりむこうともせずライターを鳴らしたり、たたいたりしていた。こんな子供の精力にはいつものことながらぼくは圧倒される。新しい現実から現実へ彼らはなんのためらいもなくとびうつってゆくのだ。どんな力のむだも彼らは意に介しないのだ。ぼくは太郎がライターの注油孔のねじをはずすのを待って針金をわたした。彼はそれを穴につっこんで綿のかたまりをひきずりだした。

「油があるよ、火をつけてみるか」

ぼくはひきだしから油の罐《かん》をだし、発火石といっしょに太郎にわたすと、火のつけかたを説明してやった。彼はぼくの言葉にしたがって綿をつめなおし、べつの穴に石をつめ、注油孔に油をついでからしっかり栓をした。

「ちょっと待ってたら油がのぼってくる。手で温めたら早くなるよ」

太郎は片手にライターをにぎりしめると眼を閉じ、片手の指を折りながら早口に数をかぞえた。薄く眼をあけて彼はいうのだった。

「ねえやと風呂に入るときはいつもこうするんだよ」

そういって彼はあわててまた眼をつむり、二十までかぞえて手をひらいた。ライターは手のあぶらで白くくもっていた。

「つくかしら?」

「つくはずだよ。やってごらん」

力をこめて彼がおすと、ライターはカチッと鳴り、小さな火花がとんで炎がたった。太郎は眼を細めて笑った。

「ついた!」

「……君がなおしたんだから、君にあげるよ。つけたり消したりはいいけれど、物を燃やすのはいけないよ。火事になるからね」

それから一時間ほどぼくは乱雑な小部屋のなかで太郎と遊んだ。腕相撲をとったり、五目ならべをしたりして、さいごには紅茶をわかした。彼の茶碗には紅茶とミルクをなみなみ入れ、自分の分にはこっそり焼酎《しょうちゅう》を半分以上入れて、ぼくは彼と乾杯しあった。帰りぎわにぼくは低学年むきに書きなおしたチャペックの『長い長いお医者さんの話』を彼にわたし、二人で外へでた。太郎は夜道を歩きながら童話本を脇にかかえ、中古ライターをカチカチ鳴らせてぼくといっしょに家へ帰った。大田邸について呼鈴をおすと、老女中がいそいでできた。彼女はぼくに厚く礼をいったが太郎の両親がそれぞれどうしているかについては用心深く口をとざした。しかし、みたところ広い邸内で電燈のついている窓はひとつしかなく、あとはひっそりと静まりかえっているようだった。女中に手をひかれて暗がりのなかへ消えていく太郎の小さな後姿を見送ってぼくは苦痛の感情を体の底に抱いた。ライターやふとんのことを陽気な高声で報告する太郎の足音は軽く踊りながら沼に吸いこまれていった。

ぼくは家に帰ると、もう一度、太郎の描いた裸の王様の画をとりだして、つくづく眺めた。フィンガー・ペイントやポスター・カラーの赤でお化けを殺したり、自分ひとりの姿だけ描いて競走に負けた劣等感を克服したりしていた頃とくらべると、これはたしかに飛躍を物語るものであった。はじめてぼくのところへきたとき、彼のなかには草一本生えていなかったのだ。彼はアトリエの床にすわり、絵具皿をまえにしたまま途方にくれているばかりであった。しかし、今日、やっと彼は自分の世界をつかみ、それを組みたて、形と色彩をあたえることに成功した。王冠とカイゼルひげのかわりにチョンマゲと越中フンドシを描いた彼にひとりの批判者を感ずるのは、この場合、不当なことであろう。批判は物語にあったのだ。ここにあるのはあくまでも太郎やっただけで、その場で画にしろとも、宿題にやってこいともいわなかった。だから太郎はあくまでも内心の欲求にしたがったのだ。

　ぼくはあとの『マッチ売りの少女』や『人魚のお姫様』や『シンデレラ』などとこの裸の王様の画をみくらべた。『シンデレラ』のカボチャの馬車は描きなおしたために二枚あった。この四枚と裸の王様には技巧の点からいうと、表面上、なんの顕著な相違も感じられなかった。おなじように形がととのわず、おなじように色がまちがっている。しかし、イメージへの傾倒といった点からみれば、裸の王様には夾雑物《きょうざつぶつ》がなにもないのだ。そこではアンデルセンが完全に消化されていた。太郎はぼくから暗示を受けた瞬間にこの人物と風景をみたはずだ。彼はまっすぐ松並木のあるお堀端にむかって歩いていき、虚栄心のつよい権力者がだまされて裸で闊歩《かっぽ》するあとをつけていったのだ。彼の血管は男の像でふくれ、頭のなかには熱い旋律があり、体内の新鮮な圧力を手から流すのに彼はもどかしくていらいらした。そのときほど彼が壁や母親から遠くはなれて独走している瞬間はこれまでにかつてなかっただろう。彼は父親を無視し、母親を忘れ、松と堀とすっ裸の殿様をためつすがめつ描きあげ、つぎに中古ライターを発見した瞬間、その努力のいっさいを黙殺してしまったのだ。大丈夫だ。もう大丈夫だ。彼はやってゆける。どれほど出血しても彼はもう無人の邸《やしき》や両親とたたかえる。ぼくは焼酎を紅茶茶碗にみたすと、越中フンドシの殿様に目礼して一気にあおり、夜ふけのベッドのうえでひとり腹をかかえて哄笑した。

それからしばらくたったある日、ぼくは大田氏の秘書から電話をもらった。児童画コンクールの審査会があるからでてこいというのである。ぼくは太郎の画を新聞紙に包んで会場の公会堂へでかけた。入口で案内を請《こ》うと二階の大ホールにつれてゆかれた。日光のよく射《さ》す大広間には会議用のテーブルがいくつもならべられ、何人もの男がおびただしい数の画のなかを歩きまわっていた。テーブルのひとつずつに童話の主題を書いた紙が貼《は》られ、作品が山積されていた。応募作を主題別にわけてそれぞれ何点かずつ入選作を選ぼうということらしい。各テーブルに二人、三人と審査員がついて作品を選んでいた。落選した作品は床や壁にところきらわず積みあげられ、絵具会社の社員らしい男たちが汗だくで運びだしていたが、そのかたわら部屋の入口からはたえまなく新しい荷物が運びこまれて、流れはひきもきらなかった。部屋のなかには日光と色彩が充満し、無数の画からたちのぼる個性の香りで空気が温室のような豊満さと息苦しさをおびていた。どうやら大田氏はみごとに成功したようである。ぼくは部屋の床に流れるおびただしい量のチューブと瓶と箱を感じた。

「やあ、きてくれましたな」

ぼくの姿をめざとくみつけて大田氏が部屋の奥からでてきた。彼の手は絵具でよごれ、息は葉巻のしぶい香りがした。彼はシャツを肘《ひじ》までまくりあげ、額は汗にまみれていた。ぼくは彼に粉絵具の礼をいった。彼は約束を守って、どれほどぜいたくに使っても半年は優にもつくらいの粉絵具と画用紙を気前よく贈ってくれた。あとはデンマークからくる作品をもらえば取引は完了だ。

「どうです、トラックに六台分も集まりましたよ」

大広間の講壇には臨時に休憩用のテーブルと椅子《いす》がおかれていた。大田氏はぼくをそこに誘うと、活気にみちたホールをさしていうのだった。

「よく描いてくれたもんです。先生もたいへんでしょうが、子供もよくやってくれましたよ。これだけ集まればデンマークにも顔がたつというもんです」

彼は眼をきらめかせて精悍《せいかん》な笑声をたてた。レストランや書斎で会ったときのあの達人めいた紳士ぶりをすてて彼は自信と闘志を全身から発散させているようであった。

「いや、まったくよくやってくれましたな。文字どおり北海道の山奥から九州の果てまで、まさに津々浦々ってこってす。なんというか、子供の姿が眼にみえるようですな」

酷薄な父親はそういってもう一度、笑声を高い天井にひびかせた。

コーヒーを一杯飲んでからぼくは壇をおりて大田氏の成果をみにいった。彼はぼくをつれてテーブルからテーブルに案内した。画家や教育評論家や指導主事など、各界各派の審査員がテーブルについていたが、大田氏はその誰ともそつなく挨拶《あいさつ》を交わし、冗談をとばし、笑いあって、円転滑脱の様子であった。彼は審査員のうしろをそっと歩いて、床に画がおちているとひろいあげ、傲《おご》らず、誇らず、たくみに快活な慈善家としてふるまった。彼はすべての審査員を支配しているにもかかわらず、そんな表情はおくびにもださなかった。ある男が一枚の画をさしてクレパスののびのよさをほめ、そのついでに作品についての感想を彼に聞くと

「子供の指にかかる重さは一七〇グラムでしたかな、私のほうではジスどおりにできるだけ抵抗を感じさせないよう気を使っておりますが、事実どんなもんでございましょうね」

そんなことをいって審査員の仕事にはぜったい口をはさもうとしなかった。

「ごくろうさまでございます」

ひとりひとりの審査員に彼はいんぎんに頭をさげて歩いた。壇上でホールをみくだ

して高笑いしたときとはうってかわった態度であった。こんな商人のしたたかさには
ぼくはついていけない。

ぼくは大田氏からはなれてホールを一巡したが、画をみてすっかり失望してしまった。審査員たちは各派さまざまな理論を日頃主張しているのに、ここではまったく公平であった。どのテーブルにも申しあわせたようにおなじような画が選ばれていた。彼らは公平であるばかりか、正確で、美しくて、良識に富み、よく計算していた。ことごとくそのような画が選ばれているのだ。どの一枚をとってもそのまま絵本の一頁《ページ》になりそうな、可愛《かわい》くて、秩序があって、上手で微笑《ほほえ》ましい画ばかりであった。理解のない空想、原型を失った感情、肉体のない画が日光を浴び、歌をうたい、笑いさざめいていた。ぼくにはこの部屋にあるものがすべて趣味のよい鋳型《いがた》の残骸《ざんがい》としか考えられなかった。いったい、何万冊の絵本が手から手へ、家から家へ流れたことであろう。

ぼくはうんざりして講壇へひきかえした。ちょうど入口から入ってきた山口と、ばったりそこで会った。彼もシャツを肘までまくりあげ、髪を乱し、頬を上気させて、自信と衒気《げんき》にみちていた。壇上のテーブルにつくとさっそく彼は不平を鳴らした。
「大田のおやじさんに喧嘩《けんか》するなっていわれてね、朝からあいつの顔やらこいつの顔

やらたてるのに追われどおしさ」

彼はいそがしげにタバコをふかしながら、ひとしきりそんな不満を幸福そうにこぼすのだった。審査員のなかで彼はもっとも若かった。児童画の前衛派の主将として彼は選ばれているのだった。彼の提唱する自動主義はわずらわしい子供の自我との闘争をさけたものであるにもかかわらず外見の新奇さによって彼は最進歩派と目されていた。

彼は審査員の顔ぶれの雑色さを非難して

「なにしろあんな馬鹿までいるんだからな。やりきれないよ」

彼のさすホールの隅には肥《ふと》った長髪の男がハンカチで顔をぬぐっていた。

「誰だい？」

「――じゃないか、ぬり画の」

山口は吐きすてるようにつぶやいて顔をしかめた。男は有名な画家であった。ぬり画が子供に悪影響をあたえるのはぬり画のフォルムが粗雑だからだという理論を流布《るふ》して自分の描いた〝高級ぬり画〟なるいかさまを売った男である。かねがね山口の論敵であった。

「どうしてあんな馬鹿まで入れるんだっておやじさんに聞いたら、まあだまって面子《メンツ》だけはたててやってくれだってさ。しようがねえよ」

「面子じゃないだろう」

「じゃ、なんだね？」

「ぬり画だってクレパスを使うからだよ。大田のおやじさんはクレパスが売れさえするなら誰とだって握手するんだよ。このコンクールだって目的はそれだ。アンデルセンなんてつけたしにすぎないよ」

山口は不興げな表情をかくさなかった。これはすこし意外であった。まわりに大田氏がいないのだからぼくは彼が賛成するものと思っていたのだ。ぼくは自分の言葉が彼の審査員としての自尊心を傷つけたことを感じた。彼は審査員をののしりながらも自分は内心得意がっていたのだ。馬鹿とののしる男と結構仲よくやっていたのではないかという疑いと反感がぼくの語気をつよめた。

「これは外交事業としては意味があるけれどね、それだけだよ。あとは大田のおやじさんが儲《もう》けるだけだよ。それに、君たちの選んだ画は描かされた画ばかりで、ちっとも子供の現実がでていないじゃないか」

山口はしばらくぼくの顔をみつめていたが、やがて蹴《け》るようにして席をたち、だまって壇をおりていった。みていると彼は『親指姫』と貼札《はりふだ》をしたテーブルにいって作品を選んでいたが、すぐに二枚の画をもってもどってきた。

「子供の現実がでていないというのはいいすぎだよ。これは一例にすぎないがね」

彼は二枚の画をテーブルにならべた。みると、一枚は親指姫が野ねずみの婆《ばあ》さんにいじめられ、一枚は彼女が女王になって花にかこまれている図であった。山口はそれをひとつずつさして説明した。

「ねずみのほうは男の子が描いたんだ。ハッピー・エンドは女の子だ。これだけでも子供の現実がでているじゃないか。男の子は闘争の世界、女の子は抒情《じょじょう》の世界と、はっきり反映しているじゃないか」

ぼくは彼をのこして席をたつと壇をおりていった。そして、『裸の王様』と書いたテーブルにまっすぐ歩みよると、いちばんうえにあった一枚をすばやくとり、山口にみえないよう床にかがんで、それまで新聞に巻いてもっていた画をほどいた。その二枚をもって壇にもどったとき、ちょうど審査が完了したらしく、大田氏を先頭に審査員一同がどやどやともどってきた。彼らは大田氏にねぎらわれ、そのお礼に大田氏の事業を賞讃《しょうさん》し、和気あいあいと談笑しながら壇をのぼっていった。せまい壇はたちまち人でいっぱいになり、席はひとつのこらずふさがった。

山口はぼくの顔をみると、まわりでがやがやしゃべりだした連中とみくらべて、早くも敏感な眼つきをした。延期のサインなのであろう。ぼくはそれを無視して、ずかずかと彼に近づくと、テーブルに二枚の画を投げつけた。一枚では王冠をかぶったカイゼルひげの裸の男が西洋の銃眼のある城を背景に歩き、一枚では越中フンドシの裸の殿様が松並木のあるお堀端を歩いていた。ぼくはめいわくそうに眉《まゆ》をしかめている山口にかまわず説明した。

「チェスのキャッスルがある奴は入選作だ。フンドシは落選作だ。入選作の子供はなにかをみて描いたんだよ。トランプのキングかもしれないし、絵本かもしれない。外国の風景をこれだけまとめるには相当の下敷きがいるからな」

山口は二枚の画をみくらべてはっきり虚をつかれた表情をうかべた。当然だ。ぼくだってじっさいこれがとびだすまでは予想もできなかったのだ。山口は越中フンドシをすばやく裏返したが、名前もなにも書いてないのをみて、けげんそうな表情でつぶやいた。

「農村か漁村の子だろう……」

ぼくは彼の敏感さにひそかに脱帽しておいて言葉をつづけた。

「……この二つをくらべたらどちらが日本の子供かわかるじゃないか。どちらがアンデルセンを地について理解したか、どちらが正直か火をみるよりはっきりしているよ。

どうして王冠が入選してフンドシが落選したか」

ぼくの声は思わず高くなった。山口はあたりをはばかってみじめな顔をした。なぜかぼくは彼のそんなこざかしい眼のうごきをみると、しゃにむに彼をたたきつけてやりたかった。

「フンドシが落選したのは君たちが輸出向きの画しか選ばないからだ。今日の入選作はみんなこの王冠式の画じゃないか」

ぼくはまわりでこころよい疲労をコーヒーとともに楽しんでいる男たちを計算に入れて声をあげ、席についた。

ぼくが席につくかつかぬかにひとりの男がたちあがり、それをきっかけに二、三人の男がどやどやとテーブルのまわりにつめよってきた。ぼくは肩や首のまわりにいくつもの肥満した腹を感じた。何本もの手がのびて殿様はテーブルから消え、しのび笑いや舌うちやつぶやきの波にのって手から手へ、眼鏡から眼鏡へわたっていった。

「なんだい、これは」

「ふざけてるだろう?」

「俺はみたけどね」

「馬鹿にしてる」

ぼくには誰が誰だか見当がつかなかった。彼らは口ぐちにしゃべりあい、うなずきあって、なかにはあからさまにぼくをののしって去ってゆく者もあった。

「どうかしてるんじゃねえのか」

殿様はさいごに山口が馬鹿とののしった画家の手からぼくにもどされた。彼は神経質にハンカチで顔のあぶらをぬぐいながら、澄んだ瞳《ひとみ》にあわれみの表情をうかべ
「アイデアはおもしろいけれど、これは理解の次元が低すぎるんですよ。アンデルセンほど国際的な作家をこんな地方主義《ローカリズム》で理解させるなんて、これは先生の責任ですよ」

ぼくはだまって彼の言葉をうけとり、彼がその場を去らないでいることだけをみとどけて満足することにした。

「フンドシと王冠とどちらが生活的かなんて、わりきれたもんじゃないよ。子供の生活は絵本と直結してるんだからな」

教育評論家かもしれず、指導主事かもしれない、ふちなし眼鏡の男がそういってぼくをつめたくみつめた。ぼくはこの男も計算に入れて指を折った。

「俺はこの画をみたよ」

そういいだした男がいたのでぼくは顔をあげた。赤ら顔のでっぷり肥った、頭の禿《は》げた小男であった。ぼくは彼のほくろの数までおぼえこんだ。彼はバンドをゆすりあ

げながら気持よさそうに眼を細め、ぼくをみて、刺すようにいった。

「この画はみたけどね、落したんだ。輸出向きとかなんとか、そんな大げさなことじゃない。これは下手なんだ。だから落した。あたりまえじゃないですか」

一座は彼の口調に楽しそうに笑った。

そのとき、人ごみのうしろから大田氏が顔をだした。みんなはパトロンのために道をひらき、いかに殿様がふざけた、趣味のわるい、そして下手な画であるかを口ぐちに説明した。大田氏は細巻の葉巻を指にはさみ、にこにこ笑いながら画を眺めた。そして、彼は彼としてもっとも正直な意見をのべた。

「たっぷりぬりこんでいますな、なかなか愉快じゃないですか」

彼はそれだけいってひきさがった。

すると、それまでだまっていた山口が体をのりだした。彼の眼には同情と和解の寛大な表情がうかんでいた。彼はぼくの顔をみつめ、よく言葉を選んで静かにいった。彼は自信を回復し、余裕たっぷりで、ののしられたことなどすっかり忘れて譲歩もし、いさめもしてくれた。

「わかったよ、君。この子供は正直に描いたんだ。下手は下手なりに自分のイメージに誠実だ。フンドシと王冠とどちらが地についたものか、それは大きな問題だけれど、とにかくこの子はアンデルセンを理解した」

　彼は微笑してすこし声を高めた。

「その理解の直接動機はこのコンクールなんだ。これがなければこの子はたとえアンデルセンを理解しても描かなかったかもしれない。また理解もせず描きもしなかったかもしれない。しかし、げんにこの子はこうやって画を描いた。描くことは理解の確認なんだ。だからやっぱりその意味でもコンクールは必要だったんだよ。このコンクールはけっして無意味じゃない」

　どうしてこう機敏なのだろう。彼はあきらかに自分の声と大田氏との距離を計算しているのだ。彼はこのチャンスを待ちかまえていたのだ。他の連中が自分の批評眼を弁護することに腐心しているあいだに彼はすっかりスタンド・プレイの準備をととのえ、箱庭細工のようにこぢんまりと整理のゆきとどいた論理をつくっていたのだ。

　ぼくはまわりにたちふさがった男たちをひとりひとりみあげた。彼らは自尊心にみち、若い山口のでしゃばった役柄に軽い反感を示しながらも、自分たちの紐帯《ちゅうたい》を感じあって自信たっぷりに腹をつきだしていた。彼らの眼にあるのは知的な寛容か、軽蔑《けいべつ》か、教養ゆたかな微笑、そのいずれかであった。

　彼らは安心し、くつろぎ、栄養の重さを感じて傲慢《ごうまん》にたっていた。ぼくはその様子にがまんがならなかった。彼らは子供の生活を知らず、精神の生理を机でしか考えず、自分の立場を守るためにしかしゃべっていなかった。彼らは子供にだまされていることを知らないのだ。子供は教師の強制をさけるため、教師の弱点をみぬいて教師の気に入るような画しか描いていないのだ。この広間に散乱しているのは廃物の山、子供が現実処理を果したあとの残渣《ざんさ》、その子供といっしょに暮らしている人間以外の者にとってはまったく通行止の世界なのである。この中分のない〝鑑賞者〟たちは色彩と形のうしろにひそむおびえた暗部や、像にみちた血管や、たえず脱出口をもとめて流れやまない肉体をなにひとつとして理解することができないのだ。彼らは商人に買われ、自分をだまし、校長と教師をそそのかし、二〇〇〇万人の鉱脈を掘り荒しただけだ。

ぼくは裸の殿様を巻きとりながら山口に静かにいった。

「だましてわるかったがね、これは応募作じゃないんだ。俺がもってきたんだよ」

山口の顔から微笑が消えた。彼は体を起し、口をあけた。狼狽《ろうばい》の表情は眼にも頬にもかくすすべがなかった。ぼくのまわりで空気がゆれ腹がいっせいにざわめいた。山口の顔は苦笑でひきつった。

「君の画塾の生徒かい？」

「そうだよ」

山口はしばらくだまってからささやくようにたずねた。

「誰が描いたんだ？」

ぼくは講壇の隅のテーブルでひとり静かに葉巻をくゆらしている中老の男を眼でさした。

「太郎君だよ」

山口は色を失った。彼は刺すようにはげしい光を眼にうかべ、ぼくをみてくちびるをかんだ。ぼくはまわりにひしめく男たちの顔をひとりずつみわたして
「この画を描いたのは大田さんの息子さんです。山口君の生徒ですが、画は私が教えています」

「……！」

「……！」

ぼくははげしい波が体からあふれてゆくのを感じた。ぼくは椅子《いす》に腰をおろしたまま、ハンカチをもった画家や、ふちなし眼鏡の男や、ほくろの三つある赤ら顔や、そのほか名の知れぬつめたい眼、憎悪《ぞうお》の額、ひきつった眉を眺めた。ぼくはひとりずつ眼をあわせ、相手が視線をそらせるまでみつめて、つぎにうつった。この瞬間、壇上には声と息が死に絶え、ぼくは自分にむかって肉薄の姿勢をとった重い体をいくつも

ひしひし感じた。誰かが声をだせばぼくはたちまち告発の衝動に走っただろう。ぼくはかつてそのときほど濃密な感情で太郎を愛したことはなかった。

審査員たちは息苦しい沈黙のなかでたがいに顔をみあわせ、山口をみた。彼はさきほどのはげしいまなざしを失って肩をおとし、みすぼらしげに髪をかきあげた。壇上から審査員を侮蔑し、画家をののしった自信と衒気はもうどこにもなかった。彼は細い首で大きな頭を支えた、みじめなひとりの青年にすぎなかった。すでに彼は画家でもなく教師ですらなかった。彼は苦痛に光った眼でぼくをみると、なにかいおうとして口をひらいたが、言葉にはならなかった。

緊張はすぐとけた。審査員たちは山口を見放した。彼らはそっと背をむけ、ひとり、ふたりと礼儀正しく壇をおりていった。画家はハンカチでひっきりなしに顔をぬぐい、教育評論家はつんと澄まし、指導主事は世慣れた猫背で、それぞれ大田氏にかるく目礼しながら去っていった。大田氏はなにも知らずにいちいちていねいに頭をさげ、満足げに微笑して全員が立去るのを見送った。

はげしい憎悪が笑いの衝動にかわるのをぼくはとめることができなかった。窓から流れこむ斜光線の明るい小川のなかでぼくはふたたび腹をかかえて哄笑《こうしょう》した。

（「文學界」昭和三十二年十二月号）

流亡記

——F・K氏に

一

町は小さくて古かった。旅行者たちは、黄土の平野のなかのひとつの点、または地平線上のかすかな土の芽としてそれを眺めた。あたりのゆるやかな丘の頂点にたつと指を輪にまるめたなかへすっぽり入ってしまうほど、それは小さかった。町を中心にいくつもの緑の輪がかさなりあいつつ平野のなかにひろがっていた。その輪は中心部にちかいほど色が濃く、周辺へいくにしたがって淡くなり、しまいには黄土のなかににじんで消えていた。消えるのは地平線よりはるかこちらだが、その幾条もの同心円の緑線をつらぬいて街道が走っている。街道は町から発して地平線のかなたまで細ぼそとながらもとぎれずにつづいていた。この緑の輪状帯はすべて畑であって、中心から遠ざかるほど淡くなるのは肥料がそこまで運べないからだ。この野菜畑と高粱《コーリャン》畑のなかを街道にそって歩いてゆくと、町にちかづくにつれてさまざまなものが行手にあらわれる。城壁、望楼、門、旗、家畜の列、百姓たちの荷車、といったようなものである。ときには歌声や銅鑼《どら》のひびきが壁のなかからにぎやかに聞こえてくることもあるが、それは市のたつ日のことである。いつもは、町はたいていひっそりと静まって、日光と微風と黄いろい塵《ちり》のなかにねむっている。

城壁にかこまれてはいるが、町は、それ自身、ひとつの黄土の隆起にすぎなかった。どれほどにぎやかな町の中心部にたってもこのことは感じられた。町の中心の広場は市場になっていて、城外からくる百姓たちがニワトリや野菜を籠《かご》につめて売っている。役人が歩き、職人が道具の音をたて、女たちは野菜の匂《にお》いのなかで笑ったり、叫んだりしている。そのすべての人と物と匂いのまわりにあるのは土だ。土の塀、土の壁、土の門、どの家もみんな土でつくられてある。人家の礎石はもともと敷かれなかったか、あるいは土の底深く沈むかして、家と道を区別するものはなにもないのだ。私たちにとって家とは道の一部が腫《は》れてふくれてまるい背を起したものである。蟻塚《ありづか》にすぎないのである。家が大地への抵抗であることをしめすものはなにもない。戸口にも、辻にも、町にあるのは黄土だけである。石はかろうじて役所の建物と監獄の壁と数軒の富裕な商人の私有墓地に使われているばかりである。私たちは死んでも自分の名を人びとの記憶のほかにきざむべきものをなにももたないのである。

私たちの地方では石はひどく高価な素材であった。山ははるかに遠くて、行商人の口から聞くほかに町ではじっさいに見たものがほとんどいない。丘はあるが、これも黄土の凸起にすぎない。城壁から見晴らしても眼に映るのはただ広大な高粱畑と、黄いろくかすんだ地平線だけである。行商人たちは取引をすませると声高に諸国の見聞記をつたえてくれたが、私たちの誰ひとりとして山についての正しい像をもっている者はなかった。まして海や湖など、はたして町の人間の何人が死ぬまでに見ることだろうか。私たちの国はそれほど広大で、およそ限界というものを知らないのだ。するどく硬い石にみちた山岳地帯こそは、おそらく、この大地の背骨なのだろう。しかし、私たちは、厚くやわらかい黄土の脂肪が東西南北を蔽《おお》った、女の腹部のような土地に住んでいるのだ。土は肥えて、深く、多毛多産で、毎年疲れることを知らずに穀物や家畜を生むが、骨はどこにあるのか、まったく感ずることができない。

町の第一の建造物は、もちろん、城壁である。なんといっても、壁なしで暮らすことはできない。これこそはあらゆる価値に先行するものだ。他人の穀物倉や畑や乾肉などについては私たちはさまざまな意見をもっているが、城壁については誰も異論をはさむことができない。ここ数十年、戦争のたえまがないのである。さまざまな主張をもった将軍とその軍隊が平野をよこぎった。亡《ほろ》んだ町の記録はかぞえきれない。殺された住民の話はかならず壁の崩壊からはじめられた。私たちの国では、町といわず村といわず、およそ人の住むところにはかならずまわりに壁がある。町を壁でかこみ、自分の家を壁でかこみ、壁を体のまわりに感じないでは一日もやっていけないのだ。山も海も見えないいくらい広漠とした国に住んでいながら壁なしにすごせないとは奇妙なことだが、事実である。

城壁は町の共同財産だ。私たちの町は耕作に依存するばかりで、絹や玉や機械などというような特殊な技術はなにももたないから、城壁ぐらいしか自慢できるものはないのだが、これもほかの町のとくらべてとくにこれといった特徴をあげることはできない。それは石材を一本も使わずにつくられた。黄土は水でねると固くなる。曾祖父《そうそふ》たちは平野のまんなかにたつと、風を嗅《か》ぎ、土をなめてから、道具をとって足もとを掘った。土を水でねると、木枠にはめて陽に乾かし、固まるところを待って枠をはずすと煉瓦《れんが》ができた。その土のかたまりを何百箇、何千箇と、一箇ずつたんねんにつみあげて彼らは町の外壁をつくったのだ。この壁と、各人の家と、どちらの建造がさきであったかは正確なことをおぼえている人間がいまではみんな死んでしまったから、わからないことではあるが、おそらく城壁のほうがさきだったにちがいない、と私たちは信じている。伝説は賢人の大きな時代をつたえているが、私たちの町はそれよりはるか以後に生まれたのだ。壁の心配のいらない日はかつて訪れたことがないのだ。人びとは壁の中で生まれ、壁のために生きた。どこの家でも、壁のためにはたらかずに死んでいったものはひとりもないのだ。高粱畑のなかからとつぜんあらわれる兵士たちはいつも新しい武器をもっていた。祖父の頃、刀は肉を切るだけだったが、父の時代になると骨を切られた死体が散乱した。槍《やり》の貫徹力は増大し、矢の飛行距離はのびるばかりである。毎年、壁のうける傷は、深く、大きくなった。兵器だけではない。それはたえまない風のヤスリにもゆだねられているのだ。道はひっきりなしに私たちの家をむしばみ、平野は町を犯す。風のなかで城壁は眼に見えずにじりじりと沈み、低くなってゆくのである。

城壁の改修作業は季節を問わずにおこなわれた。少数の役人と、富商と、豪農をのぞく町の住民は子供から老婆《ろうば》におよぶまでみんなはたらいた。その日は、畑仕事、商取引、家事、午睡など、すべてが禁じられた。城外の畑へ黄土をとりにゆく牛車のきしみと、長い苦しい午後。少年時代から青年時代にかけて出会った数知れぬ労働日を私は忘れることができない。学校は休みになり、私たちは歓声をあげて城壁のうえを走りまわり、父の怒張する背の筋肉の地図に見とれたり、炊《た》きだしをする母の着物にしみる火の匂いをおぼえたりした。腕に筋肉がつくようになると、私も仕事場にたった。建築法は曾祖父以来すこしもかわらない。土をはこび、水を汲《く》み、木枠をつくり、煉瓦をつむ。仕事の系はばらばらにほぐされて全住民に配られたが、体を起せばいつでも日光と汗と叫声のなかにその全貌《ぜんぼう》を見ることができた。煉瓦をはこぶ家畜の列。肩から肩へわたる水桶《みずおけ》。土をねる者たちの歌声。それはなめらかで堅固な円だった。すべての人びとは密着した点であった。夕方になって青い川のような夜がしのびよってくる頃になると、私たちは高くなった城壁を見とどけて満足し、道具をかついで家に帰った。ベッドのうえで眠りにおちる瞬間の抵抗、ものうくこころよい寝返りの刹《せつ》那《な》に私たちをおそう、あの透明ではげしい拡張感にかえられるものがあるだろうか。背骨のこころよいきしみにうめいてあいまいにつぶやくとき、私たちはキラキラかがやく川となって壁にしみて窓から流れだし、香ばしい藁《わら》の匂いにみちた広大な瞬間のなかで町はとけた。

兵士たちはしばしば私たちを嘲笑《ちょうしょう》し、侮辱した。彼らは泥酔して仕事場のあたりを歩きまわり、私たちが征服されてから壁を固めていることをさして口ぐちにわらった。彼らはほとんどが傭兵《ようへい》で、あらゆる地方の出身者であった。ならず者、ばくち打ち、浮浪者、色情狂の集りであり、誰ひとりとして自分の仕事に目的を見いだしている者はなかった。彼らは東に流れ、西にうろついて、戦争でぼろぎれのようになった平野のなかを一銭でも多い賃金を支払う野心家をもとめてさまよい歩いているだけだ。自分たちの指導者にたいしてなんの信仰ももっているわけではない。だから、私たちが彼らを迎え入れながらなおもつぎの侵略者を予想して防壁を高めることに苦しむありさまを見ても、反感を抱く必要はどこにもないのだ。私たちは彼らをけっして無視しなかった。むしろ、穀物や酒や家畜などを盗むにまかせて歓待してやったといってもよいくらいである。

私たちは侵略者にたいしてまったく無抵抗であった。町はだれにも城門をひらいた。将軍たちがどんな思想を新兵器といっしょにもちこんでも異をとなえるものはなかった。赤旗をかかげた軍隊がやってくれば私たちは赤旗を用意し、白旗の情報が望楼から叫ばれれば人びとはただちにベッドの敷布を裂きに家へかけこんだ。そういうことは一度もなかったが、もし高粱畑のかなたの旗が赤か白かわからなければ、さっそく私たちは二本の旗を用意して、いざとなればどちらでもだせるように背にかくしながら城門のところへ歓迎の列をつくって軍隊の到着を待ったにちがいないと思う。事実、たいていのことはそのように実行されたのだ。太陽を好む将軍が町へくれば学校の先生は校庭に太陽の略図を描いて生徒に教え、竜を愛する野心家がくればさっそくその頌歌《しょうか》をつくった。この点、どんな意味でも私たちに偏向はないのだ。それよりほかの生きかたは当時では考えることができなかった。将軍たちのなかには情熱を制御できる人間がまったくいないわけではなかったが、彼らのたいていは自分のマークにたいしてぬきがたい趣味をもっていた。これについては、ある家族のことを書くだけでたくさんだ。町の服屋は子供が塀に星の画を落書きしたのを忘れていたために、広場で処刑された。そのときの将軍は雲につつまれた虎を愛していた。彼がやってくるまで星の旗印をかかげた軍隊が町に進駐していたのだが、士気沮喪《そそう》からか、戦略上の必要からか、虎が畑のむこうにあらわれたのを見るや否《いな》や彼らは私たちに城門をあけさせて逃げてしまった。私たちは無血入城した将軍を迎えると、ただちに校庭や教科書や旗竿《はたざお》のさきや歌のなかから星をぬきとり、消しとった。それはあくまでも技術的な問題にすぎない。私たちは星を愛しもしなければとくに新しい感情で憎むこともしなかった。それが空を駈《か》ける虎にかわろうが岩角で羽ばたく鷲《わし》にかわろうが、知ったことではない。服屋は不注意にすぎなかった。将軍は情熱を誇示したくてうずうずしていたのだから、危機というなら町の全住民がひとしく危機にさらされていたわけだ。ひとりの兵士が服屋の塀にあるひっかき傷とも画ともわからぬマークを発見し、将軍に報告した。事はその場で決裁された。町の全住民が家から追いたてられて広場に集合を命じられた。服屋は一家八人がひとりのこらず殺され、犯された。子供五人は首を切られた。父親は両眼をえぐられたうえに鼻を削られ、手と足をおとされた。老婆は背骨を折られ、母親は輪姦《りんかん》された。私たちはすべてが完了するまで嘔吐《おうと》や貧血の発作にたえながらそこにたっていた。子供たちの叫声はとんできて木材のように人びとの体にぶつかり、父親は血みどろになって土のうえをころがりまわった。排泄《はいせつ》をおわった兵士たちの哄笑《こうしょう》が広場のまわりの壁をゆりうごかした。私たちはだまって家にもどると、食事もしないでベッドにもぐりこんだ。広場からは、夕暮れの茂みに迷いこんだ微風のような母親の泣声が聞こえてきた。

人生はドアのすきまをよこぎる白い馬の閃《ひら》めきよりも速い、という言葉が、当時、平野のあらゆる町を浸したのだが、私たちが指導者と軍隊をもたなかったことをお考えになるまえに、兵士の嘲笑を思っていただきたい。彼らはどこかの野戦天幕の徴兵事務所でやとわれると、たえまなく怠惰と逃亡の機会を狙《ねら》いながら将軍にひきいられて町へやってきた。娘を犯し、牛を殺し、穀物倉の錠を手斧《ておの》でたたきやぶって彼らはほしいままな力をふるった。町は脂肪ゆたかな白痴の娼婦《しょうふ》のように彼らの筋肉や精液にいわれるままに仕え、媚《こ》びたり、殺されたり、酔ったりした。が、将軍たちのあるものは永くて一、二年、みじかければわずか半年で、つぎの侵略者に追われて町を去った。彼らは町をでると、たちまち殺されてしまった。それは時間と距離の問題にすぎないのである。彼らが追われてどこまで逃げのびたか、私たちは知らないし、いちいちおぼえているゆとりもなかった。しかし、一度去った軍隊は二度ともどってこなかった。諸国をめぐり歩く行商人は遠い峡谷や野の数知れぬ滅亡戦や新しい戦術家の機略を説明することに市場の人ごみと時間を忘れた。どこかで戦いがあると、落伍兵《らくごへい》や脱走兵たちが二人、三人とつれだって高粱畑のなかを影のようによこぎっていくのが見られた。百姓たちは水や乾肉をせがまれると、しぶしぶいわれるままにさしだしたが、彼らが門口を去ると、たちまち村じゅうの男たちが集ってそのあとを追い、よってたかって鎌やれんがなどで彼らをたたき殺した。城壁の望楼の見張番たちも落伍兵にたいしては城門をピッタリ閉じて、どれほど脅迫され、哀訴されてもかんぬきをぬこうとしなかった。そして、彼らがふたたびどこかの軍隊に入って町へやってきたりすることのないよう、町の男たちは総出で彼らのあとを追い、庖丁《ほうちょう》や棍棒《こんぼう》でなぶり殺しに殺した。死体は城外の畑の畦道《あぜみち》や廃溝《はいこう》にすてられ、野ざらしにされた。鉛いろの額や重い顎《あご》や土埃《つちぼこ》りにかすんだ眼、鎧《よろい》、ぼろぼろにちぎれた軍服などが街道にころがって、日光のなかで虹のような腐臭を発散して、とけた。将軍たちの行方は砂にしむ水のようにわからない。

私たちの知恵はたったひとつしかないのである。戦乱は十数年にわたって、果知れぬ攻防戦がくりかえされ、侵略があり、敗北があり、諸侯たちの興亡はかぞえきれなかった。が、行商人が宮殿や天幕の奥に走る暗殺者の叫声を話しおわるたびに、私たちは眼を城壁にそそいだ。すでにそれは雨と風によってまるめられ、煉瓦はとけあって形を失うまでになり、一箇一箇を見わけることができなくなっている。人家とおなじように大地ととけあって、建築物というよりはほとんど自然物である。それが町にとって希望であったというたしかな経験を私たちはあまりもっていない。防禦物《ぼうぎょぶつ》として見ればそれは不完全きわまるものだし、戦術的に可能なかぎり利用できるほどの知識や勇気も私たちはもちあわせなかった。それはちょうど大地の腫物《はれもの》のような私たちにとってのかさぶたにすぎないといってもよい。価値は無にひとしいのである。しかし、あらゆる検討の末に私はなおすてきれぬものをそこに感ずるのだ。これは町に住む人びとすべての感覚である。力や筋肉の殺到にたいしてそれほど脆弱《ぜいじゃく》な存在のないことがわかりきっていながら、なぜあなたは腹より背に信頼をおいて体をまげるのだろうか。私たちにとって壁はそのようなものなのだ。夜おそく枕《まくら》に頭をおとすとき、私たちはおしあいへしあいかさなりあった何十軒もの家の何十枚もの壁や塀のむこうに、つたえ聞く海のような平野の肉薄にたちむかう重く、厚いものの気配をかならず感ずる。城壁は私たちの背だ。ちょっとでも崩れると私たちはたちまちかけ集ってこのたわいもない土の隆起にとびかかり、うろうろ歩きまわり、眼にしむ汗をぬぐいながらはたらいて倦《う》むことを知らなかった。城壁の意味はおそらくその共同作業の感覚それ自体のなかにもとめるよりほかにないのではないかと私は思う。兵士たちの嘲笑もそこからきているのである。彼らは絶望を感ずるのだ。流れただよう、孤独で兇暴《きょうぼう》な点にすぎぬ彼らは壁を見て焦躁《しょうそう》をさそいだされるのだ。蟻《あり》のようにせっせと煉瓦をはこぶ仕事場の私たちに彼らがニンニク臭く生温かい痰《たん》を吐きかければ吐きかけるほど私たちはそのことを確認した。私たちは苦痛を土に流しこむために夢中になってはたらいた。家畜を盗まれた百姓、ふいごをこわされた鍛冶屋《かじや》、酒壺を割られた居酒屋、男、女、老人、子供、すべてぼうふらのような町の住民たちがただ黙々とはたらいた。壁は私たちの恥や汚辱や無気力を水でこねて、ねって、つくられたものである。そのほかに私たちはどんな抵抗の方法も思いつくことができなかった。妻や娘たちの傷、やぶられた穀物倉、裂けた畑、それらのものについては、にがにがしいが説得力に富んだ時間の愛撫《あいぶ》と、黄土の受胎力を期待するよりほかにしかたがなかった。

そのころはしじゅう避難民の姿が見られた。街道や高粱《コーリャン》畑を人びとは牛車をひき、袋や傘をもってさまよい歩いた。私たちの町を占領した兵士たちは城壁から避難民の列を発見すると、ときどきでかけていって彼らを殺した。たいていの避難民は武器をとって抵抗したために町を破壊されて追いだされた人びとであったが、すでに疲労しきっていて、兵士たちに追われてもろくに逃走することもできず、むざむざ槍に刺しつらぬかれた。兵士たちは彼らのこわれかかった牛車におそいかかって、酒や食物や貴金属品などを奪った。しかし、大部分の人びとはすでに町をでるときに無一物同様になり、あちらこちらの町にしめだされて街道をさまようちに強盗におそわれたりしていたので、兵士たちがめぼしい品にありつくことはめったになかった。彼らはあさるものがないとわかると、失望して、気まぐれに避難民を殴ったり、殺したりして、ひきあげた。私たちは城壁のうえから兵士たちの暴行をつぶさに眺め、煤《すす》と土埃りにまみれた人びとが刀に切られて背にパックリと穴をあけながらなおもたちあがろうとして車輪にしがみついてはくずれおちるありさまを見守った。避難民たちの骨の砕ける音や叫声を聞かなかった人はひとりもいない。しかし、彼らを私たちの町に収容して宿泊させようといいだす者もいなかった。兵士たちを養うためにあらゆる物資が徴発されて、商店は戸をしめ、穀物倉はからっぽになり、人びとは栄養失調からくる慢性の貧血症のためにやつれきっていたのだ。とても避難民を養うことなど、できなかった。のみならず、兵士たちは町が寡婦《かふ》のように蒼《あお》ざめて薄暗いまなざしですわりこんでいるのを見て、このうえ食糧が不足することを恐れ、私たちに難民の救済をきびしく禁じたから、いよいよ彼らはしめだされることとなった。彼らは城門のそとに牛車をとめ、何日も野宿して壁がひらくのを待ったが、かんぬきがぬかれたことはついに一度もなかった。城壁がなければ私たちは彼らの刃のような不幸や苦痛にさらされてとうてい身をよけることができなかっただろう。難民たちはぼろ布をぶちまけたように城外の畑や街道に野宿し、たったり、すわったり、藁をくわえたり、横腹をかいたりして何日もすごしたあげく、とぼとぼとどこかへ消えていった。彼らの去ったあとにはしばしば瀕死《ひんし》の重傷者や病人や赤ン坊が、足を折られた昆虫のようにのこされていた。私たちはむっと鼻をつく膿《うみ》や垢《あか》や乳の生温かい匂《にお》いのなかを歩きまわって脈をしらべたが、なかにはすでに死んでいるものもあって、私たちが髪をつかんでひきおこしてから手を放すと、額が土にぶつかって木のような音をたてた。生きのこっている者については難民たちの意志にしたがって町の誰かが処理をした。彼らの叫声やうめき声はそのひくさにもかかわらず風や壁や塀をこえて町の夜のなかをさまよい歩き、不浸透への欲望にとりつかれた将軍をいらだたせた。彼は兵士の感傷を恐れることを口実に将校に命令をくだしたが、兵士たちは衰弱者を殺すことをあまり好まなかったので、たいていの場合、町の人間がでかけなければならなかった。でていってもどってきた者はそれから二、三日、口をきかなかった。

このように町は生きのびることだけを考えて暮らし、将軍や兵士たちのいうなりになり、息もたえだえの人間の首をしめてその日その日を送っていたわけだが、危険は私たちも難民もあまりちがわなかった。ひとりの将軍が兵士たちをつれて去ると、ほとんどそれと踵《きびす》を接するようにしてつぎの軍隊がやってくるのだ。どこの国のどんな人間なのかもわからない。彼らはとつぜん畑のかなたにあらわれると、金属で体をつつみ、喊声《かんせい》をあげて殺到してくるのだ。望楼にけたたましい叫声があがるのを聞くと学校は授業をやめ、人びとはけいれんをおこし、あわてふためいて貴重品や食糧を壁や床や庭の穴のなかに投げこんだ。教師は老人や妊婦や幼児たちといっしょに生徒をつれて町の裏門から逃げだし、はるかに遠い丘のかげへ退避した。しかし、兵士たちの足は私たちよりはるかに速かった。高粱畑から高粱畑へ、畦道をウズラの群れのように走る私たちの姿を発見すると彼らは馬を走らせ、容赦なく弓をひき、槍を投げた。彼らの矢のおそるべき正確さと気まぐれの記憶は忘れることができない。矢は乾いた、するどいひびきをたてて空気を裂き、私たちの薄い体を狙って右に左につきささった。せまい畦道をわれさきにと逃げるために私たちはおしあい、へしあいし、はげしい馬《ば》蹄《てい》のとどろきのなかでおたがいに兇暴な殺意に駈りたてられて殴ったり、蹴《け》ったりした。兵士たちは組んずほぐれつしている私たちのまわりで馬を走らせ、ゲラゲラ笑った。

警報がでるとすぐさま私たちは退避したが、運よく兵士に見つからないで丘のふもとの横穴へ逃げこむことに成功すると、教師は自分のまわりに生徒を集め、薄暗い、しめった穴のなかから外の明るい野原を眺めながら、むかしの話をした。あらゆる町に人と物がみちみちていた日、その音楽や匂いや料理のうえに彼はうっとりしたまなざしを投げて、私たちを誘惑しようとした。絹の帳《とばり》にしむ茶の匂い、鳥のしたたらす金色のあぶら、中庭の夜をふちどる台所の女たちの合図の声。祭日や歌や物売りたちの呼声などに教師の話は飾られていた。しかし、私たちは広い畑を必死になって走ったために横穴のなかへ入っても息がきれ、欠食からくる貧血の発作のためにしばしば眼のまえが暗く黄ばんで、めまいと深い墜落感におそわれ、とうてい教師の話などに耳をかたむけていられなかった。私たちは暗闇に舞う無数の眼華のきらめきを眺めて嘔気《はきけ》をこらえながら、わいせつな言葉で教師を露骨にののしった。

まったく悪い、小さな時代だった。町の人びとの息は古い藁の匂いがし、言葉は壺のかけらに似ていた。孤独や絶望や不安について特権をもつものがひとりもいなくなったし、街道や辻で出会う眼や口や皺《しわ》はおどろくほど似かよって、そこからなんの職業を読みわけることもできなかった。あらゆる道具が作用を失ったのだ。人びとは槌《つち》や鋤《すき》や臼《うす》や鋏《はさみ》をつかって生きてはいたが、すでに体や顔にその固有の堅固な痕跡《こんせき》をとどめていなかった。道具は手から血管のなかにもぐりこんで顔や腰や背骨などにしるしを放射することをやめてしまったのだ。町長から屑拾《くずひろ》いの老婆《ろうば》にいたるまで、町のすべての人びとがたったひとつの使い古した顔しかもたなくなってしまった。やつれきった町のなかで兵士たちの甲ン高い酔った叫声が長い、うつろなこだまをひびかせ、くずれた土塀や暗い戸口や立木のかげなどにちらりとのぞいて消える顔は子供も老人も区別がつかなかった。

そのころの平均人の死の例をひとつだけあげてみよう。

私の父は半農半商であった。城外に彼は小さな畑をもち、城内で雑貨商をいとなんでいた。雑貨商といっても、諸国の行商人たちのもってくるいろいろな品物を町の産物と交換する交易所のようなものである。彼は一週の半分を小商人として送り、あとの半分を城外の畑で百姓仕事をしてすごした。彼は老後をそこですごすつもりで、畑のよこに小さな家を建てた。学校が休暇のときは私もよくでかけたが、ひくい土塀と小さな中庭のある、台所と寝室、二室きりの、僧院のような家であった。ほかのすべての農民や小商人とおなじように父もまた季節のうえに死んでゆくべき人であった。雑貨店の経営は仕入れのときに自分でたちあうだけで、あとは妻にまかせ、ひまさえあれば店のまえの日なたにしゃがみこんで彼は白湯《さゆ》を飲みつつ市場通りの人や荷物のうごきをぼんやりと眺めてすごした。ヒバリを飼い、祭日には銅鑼《どら》をたたき、行商人と冗談話にふけるのが彼はなにより好きだった。城外の家では、一日の畑仕事がおわると、土が夜気ですっかり冷えてしまうまで彼は庭の乾いたところに半裸のままねそべり、横腹をものうげにかきながら当時のすべての人びとが願った幸福を夢想した。彼は牛が反芻《はんすう》するようにその想像をくりかえしくりかえし嚙《か》みしめて味わい、土に肌をぴったりくっつけて何時間もぼんやりしていた。彼は子供の私にむかっても、しばしば、その、首と胴がぶじにつながって死後の旅行をする楽しみについてしゃべった。将軍や兵士や収税吏や富商たちを彼は軽蔑《けいべつ》して、私がときたま彼らのことを口にしても、いつも鼻を鳴らすだけであった。その軽蔑はすべて死後の旅行の豊かさと快適さにたいする確信からきていた。彼のもっとも憎む恐怖は矢や槍《やり》ではなく、鋭利な刀に首を切りおとされてこの旅行、無数の人にみちていながらひとりもいないのとおなじように闊歩《かっぽ》できる金の舗道や、墜落しても死なない、花にみちた谷や、思いついた瞬間に思いついた距離だけ飛翔《ひしょう》できる奇蹟《きせき》や金を払わなくとものれる鳳頭《ほうとう》船《せん》などにみたされた旅行、ただそれがさまたげられはしまいかということにつきていた。彼によればこの旅行の唯一《ゆいいつ》の資格は首と胴がつながっていることだけで、もし首がなければ他界に生きのびることはできないから、人は透明な影となりながらなおかつ永久に閉じることのない傷を抱いて辻や戸口をさまよいつづけねばならないはずであった。兵士より、重税より、なによりも彼はそのことを恐れていた。

父は身首の所を異にすることなく死んだ。希望がかなえられたわけだ。そのことだけをとると、当時としては例外的な恩寵《おんちょう》であったかもしれない。体がたおれたとき、彼は希望にみちてたちあがり、花や竜の彫刻にみちた、厖大《ぼうだい》な群集のひしめく薄明の門へいそいだことだろうと思う。しかし、彼が死んでも私はとくにうごかされるものを感ずることができなかった。それはよちよち歩きのころから出会った無数の死のひとつにすぎなかった。彼はおびただしい苦痛を発散しながら衰弱し、しぼんで、死んでいったが、そのことで私はなにもかえられることがなかった。

父は殺されたのである。理由は不明だ。広場の全町民の面前で虐殺《ぎゃくさつ》された服屋一家は苦痛のはるかかなたにおぼろげな星のマークをもっていたが、父の場合はなにもなかった。ある秋の午後、母が台所で粟《あわ》を炊《た》き、私がベッドにねころんで本を読んでいるとき、戸外で叫声が聞こえた。家から走りでてみると、道のまんなかに父がたおれ、湯呑茶碗《ゆのみちゃわん》がころがり、五、六人の武装した兵士が声高に笑いながら日光のなかをたち去ろうとしていた。私と母の足音を聞いて、血まみれの手斧をさげたひとりが眼にもとまらぬすばやい身ごなしでふりかえったが、私たちを見ると、すぐ姿勢をゆるめ、聞きとれぬ南方語で哄笑《こうしょう》しながら仲間のあとを追っていった。私がかけつけると、父は頭部を強打されてうめいていた。薄桃色の脳漿《のうしょう》が耳のうえにこぼれるほどの裂傷であった。母は笑声に似た叫声をたてて父の体にとびついた。

私は肩に淡い秋の日光を感じながらぼんやりとたたずんだ。市場通りにはいつもの人ごみがあったが、人びとは私の視線をうけるとまぶたをおとすか、そっぽをむくかした。もちろん異国の兵士の背にむかって糾弾の声をあげるものはひとりもなかった。私の不幸は人びとの足のうごきをすこしゆるめ、眼の暗度をすこし増し、ぎこちない沈黙をあたえたにすぎなかった。それだけだ。ただそれだけだ。死は、もう、劇ではないのだ。父はそこにいた。兵士は斧をもっていた。だから殺されたのだ。父の頭髪は薄かった。灰色の球は日光のなかに薄い皮を張り、なんの防禦物ももたず、むきだしで、もろくて、誘惑を発散していた。人びとは屋台のかげや夕食のテーブルで声ひくく兵士について話しあうだろう。彼らの陽気さ、多血質、おとなの体と子供っぽい衝動。そんなことについて話しあったあげく人びとは彼らもまた遠からず畦道《あぜみち》で撲殺される運命にあることをかぞえてみじめに自分を暗がりにむかって解放するのだ。

父は、四日間、裂けめから土埃りといっしょに侵入した死を相手に見こみがないことのわかりきったたたかいを演じ、尿と汗と膿のなかで息たえていった。猫の背のような丘に私たちは彼を埋めた。幾人かの人びとが集り、私と母は女に粟一袋をやって泣かせた。女は麦をせびったのだが、私たちは貧しくて、それだけのことしかできなかった。一路平安のうたごえは女の泣声がやむと、風に散って、あとかたもなかった。

二

父の死後、数年たって、私が雑貨商として独立するようになってからようやく戦争がおわった。ある北方の貴族が帝国を完成したのである。あらゆる情報の発生点からはるかに遠い田舎町の物資交換所の経営者にすぎない私にはその間の大陸全土の年代記を書く資格がない。諸国の行商人がもちこむ話題と、町に起る大小の事実を見るよりほかに時代の意味や原則を知る方法を私はもたないのだ。

東西南北から戦火の切れめをぬってやってくる旅商人たちの話はいつごろからとなく次第にあいつぐ野心家や叛逆者《はんぎゃくしゃ》の人名表であることをやめ、主題をひとりの若い貴族とその幕僚たちの性格描写に限定するようになった。幾多の老獪《ろうかい》な外交戦や、暗殺者の駆使や、機敏な野戦術をつうじて彼は山岳地帯の地方貴族から大陸の統一者の輪郭をおびはじめた。彼の進出をはばむために諸国の王たちは東西に同盟したり、南北に共同戦線を張ったりしたが、いずれも多年の叛逆者の続出のために疲れきっておたがい不信にとりつかれていたので、企図はつねに持続力を欠いた、神経質なけいれんでおわってしまった。彼らは共同戦線から脱落し、大陸のあちらこちらで孤立した総決戦を試みてはかたっぱしからやぶられ、没落し、併合されていった。北の貴族の個性は国境の無視と才能にたいする寛容さにあった。彼は自国者であろうが他国者であろうが、才能がありさえすれば国籍を問わず自分の幕僚に加え、気前よく権力をあたえてその才能を思うさま発揮するようにさせた。彼の侵攻を拒もうとする諸侯たちもこれにならって遊説者たちには耳をかたむけたが、彼らは宮殿と野戦天幕のまわりをうろついて唾《つば》と企画を売りこみにやってくる、政治狂、山師、ごろつきの、蚊のような群れのなかから実践力に富んだ方法者を区別することができなかった。性急な誇大《こだい》妄想癖《もうそう》にとりつかれた無国籍者の軍事評論家と、自分の洞察力にたいする過信のために亡《ほろ》びていった王と将軍の名は枚挙にいとまがない。全国各地の諸侯の軍団はそれぞれの王や条約の命令のもとにいっせいにうごいたが、ことごとく全滅、敗走した。私たちを苦しめた、うぬぼれた地方的英雄、風のような将軍たち、気まぐれな凌辱者《りょうじょくしゃ》のすべてを吸収して軍団は高粱畑のはるかかなたの地平線上を北にむかって移動し、たたかって、消えた。おびただしい都市の焼跡と平野の爪跡《つめあと》のなかからつねにひとつの名前だけがおきあがってきたのである。野心家の盛衰記に疲れきっていた私もやがて疑いをすてなければならなくなった。夜のふけるのも忘れておびただしい流血の勝利を講釈する旅商人たちの話に私は耳をかたむけ、来ては去り、去ってはやってくる彼らの物語から共通の部分だけえらびだしてすこしずつ地図を完成していった。それは私が二十五歳のときになって巨大な円を閉じた。その夏、ひとりの毛皮商人がさいごの王国の没落と首都建設の情報をもたらしたのだ。背のひくい北方の貴族は、参列者の隊伍《たいご》の後尾が地平線に消えるほど豪奢《ごうしゃ》な儀式のあと、壇上で三度絶叫して、皇帝となった。

首都は咸陽《かんよう》ときめられた。私たちの町からは、はるかに遠い。およそ想像するだけで髪の白くなりそうなほどの遠方である。のみならず、その新しい都市計画の壮大さもまた私たちの想像をこえて異様なものである。旅行者や行商人たちは聞くだけでめまいのおこりそうな宮殿の設計図をもってきた。彼らは取引をすませたあと湯呑茶碗に指をつっこみ、帳場の古い木の台のうえに無数の点と線をひいた。彼らはあちらこちらと指を走らせて説明しているうちに昂奮《こうふん》して、図がまだ完成しないうちに感嘆の声をあげた。彼らは手垢のために皮のような光沢をおびた台の表面を眺め、ひとしずくのしみをさして、皇帝の妾《めかけ》の宮殿だといった。それは私たちの町を十五集めて空にむかってつみかさねたほどの面積と体積をもつ。しかも、公認されているだけで現在のところ皇帝には二十三人の妾がいるというのである。そのひとりずつにこれだけの寝殿が計画されているわけである。宮殿は寝室だけではないはずだ。すると、どういうことになるのか。ひとりの妾のために町が十五必要とされ、皇帝の視線が女の頬や腰にとまるたびに宦官《かんがん》が車を走らせ、しかもなおその寝殿のための建坪が宮殿全体の総坪数から見れば桶一杯の水のそのひとしずくにすぎないようなものであるとするなら……

驚異は建物の数ばかりではなかった。私たちにとってまったく新しい体制がつくられたのだ。これまで大陸の全土はいくつかの国にわかれ、各国の王はそれぞれの地方に領主を封じて支配にあたらせていたのだが、これは大円のなかの無数の同心円というよりは、諸侯の力の充実と恣意《しい》によって中心のばらばらになった無数の円を散在し、おたがいに衝突、格闘させる結果となってしまった。いくつかの国を苦闘の末に併合してひとつの大国を出現させても、王たちはこの伝統と習慣にしたがって縁戚者《えんせきしゃ》や功労者に領土を分割してあたえるために、つねに叛逆者や内乱がたえなかった。皇帝はこの危険をさけるために幕僚や将軍をすべて給料生活者に仕立ててしまったのである。金の竜の乱舞する何百枚という絹のカーテンの花びらの蕊《しべ》にまどろむひとりの精液にみちた男は、同時に馬車の馭者《ぎょしゃ》から総理大臣にまでおよぶ官吏全員の任免権をもち、これまた何百本と数知れぬ系統線いっさいの集合点によこたわることとなったのだ。放射線は壁の迷路を右にまがり、左に走って、部屋から部屋、廊下から廊下へとぬけて咸陽の町にでると、川をわたり、峡谷をくぐって大陸全土の町々の城壁とその内部にしのびこむ。位の上下を問わず、官吏は皇帝の名によって、ある日、とつぜん馬車にのって、長い、苦しい旅に出発しなければならない。これまでの各地の支配者、諸侯や領主や将軍たちは、それぞれの領土の地図を手や足のうえに感じていた。しかし、新体制によれば、馬車の乗客は、ある夕方、まったく見知らぬ駅でおりるのだ。彼はテーブルにむかって書類のうえにかがみこむが、食後の軽いざわめきをもつ生温かい耳たぶのうしろにはいつもひとりの男がたつのである。彼は伝令の到着を待ち、通達袋をあけると、ものうげに読んでから隣室の男にわたし、肘掛椅子《ひじかけいす》にもどって爪をみがく。書類、署名、伝言。ただそれがあるばかりだ。寝室に入って枕《まくら》に頭をおとすとき、彼は薄暗がりのなかにおびただしい人間がしがみついた階段と三角錐《さんかくすい》をかいま見るだろう。首都の大臣から県長、郡長、市長におよぶまで、私たちの支配者はことごとくひとりの男の無数の影のひとつにすぎないのだ。彼らは命令をつたえ、その命令の原因をなす衝動を感ずることも理解することもなく書類に署名し、支配せずに、管理する。無数の枝にわかれた透明な溝《みぞ》のなかで彼らはたったり、すわったり、排泄《はいせつ》したりすることしかゆるされないのである。

皇帝はこうして地方的英雄の出現する危機をのぞいてしまうと、万世一系を宣言した。これまで、各国歴代の王の名前は彼らがそれぞれ標榜《ひょうぼう》する道徳をとって固有名詞としていたのだが、今後、私たちは、どのようにかりそめの人格の想像も皇帝の呼名からひきおこすことができなくなった。帝位は個性で呼ばれない。それは一家族内の順列である。あらゆる官庁をつらぬいて束ねる透明な系は法律によって自動運動をおこない、衝動は上から下へ流れ、帝位を犯すことはぜったい不可能なのだ。私たちは聖家族の首長を一世、始皇帝《しこうてい》と呼ぶことになった。彼が死ねば帝位は遺言によってその十六人の子供のひとりにつたえられ、二世皇帝と呼ばれることになるだろう。皇帝の視線は右に左にさまよい、寝殿は増築されてとどまることを知らないのである。精液が彼の体から流れれば流れるほど嗣子の選択の可能性は増す。私たちはなんの発言権ももたないが、しかしそれは明日の空が晴れか曇りかというよりはいくらかましな期待の材料にはなる。人びとは皇帝の荒淫《こういん》、乱交をのぞむべきである。

新体制の波及には時間がかかった。行商人たちは全国各都市の官庁においてめまぐるしい人事異動がおこなわれていることを告げた。皇帝の命令は彼がいままでの王の何人よりも不浸透性へのはげしい憧《あこが》れにとりつかれていることを証明して、苛烈《かれつ》であった。彼は諸国を壊滅、統一する困難な事業においては、国籍を無視して才能を狩り集め、動員したが、統一後もこの習慣をすてなかった。彼は諸都市の腐敗しきった旧支配者を官庁から容赦なく追放して首都から新人を派遣し、旧官僚たちがどれほど自分がその地方の実力者であり、地理と風俗に通じて有能であるかを証明して利権にありつこうとしても許さなかった。彼は自分の任命した吏員たちが職務を完遂できるよう、地方的特性を無視した無数の法網を全国に張りわたした。さらに彼は能率と規格にたいする欲望から、それまで全国ばらばらだった度量衡《どりょうこう》を統一し、車と道の幅を一定にすることを命令した。そのため各県、各郡の主要都市の官庁前には首都から送られた数表がかかげられ、秤《はかり》や枡《ます》や荷車の見本が展示された。違反者は理由の如何《いかん》によらず厳罰処分として夫役に徴集されるので、行商人たちの話によれば、はるばる村や町からでてきた百姓、商人、職工たちが県庁前広場に長蛇の列をつくり、なかには展示場に入る順番を待つために道路に野宿するものもあるということだった。壁とカーテンと裸女のひしめきの奥でおこった皇帝の身ぶるいはそのようにして商店や工場や村にひびき、計量器や車や田の形をかえてしまったのだが、ショックはやがて学校の教科書にもおよんだ。文字が統一されたのである。皇帝はあらゆる意味において特性を排除しようとしているかのようだった。彼は自分が貴族階級の出身であるにもかかわらず、採用した書体は最下層階級の奴隷《どれい》たちの文字であった。このことにおいて私たちは皇帝の神経叢《そう》のなかでどんな劇がおこなわれたのか、容易に察知することができない。彼が出身階級の教養や趣味をこえた機能主義者であるのか、あるいは新興勢力のほとばしってやまない自信が旧特権階級のあらゆる属性を侮蔑したあらわれであるとするのか、私たちは判断にくるしむ。が、いずれにしても貴族や高級官吏たちは大陸全土の人民の数にくらべればごく少数の人数であり、隷書が流布《るふ》されればその効果の大きさは計り知れないものがある。文字に関するかぎり貴族は完膚《かんぷ》なきまでにたたきのめされた。書家、詩人、作家たちは下婢《かひ》、召使、糞尿汲取人《ふんにょうくみとりにん》たちの言葉によって書き、語らねばならなくなったのである。彼らの美しく傲慢《ごうまん》で繊細な瞳《ひとみ》に走る苦痛のいろを見て皇帝は哄笑したであろう。貴族、高級官吏、豪農、富商たちの子弟を収容する学校においてもいままでの高踏主義の文字をつらねた教科書は一冊のこらず廃棄され、旧世代の芸術愛好家たちは書店を去って紙魚《しみ》の洞穴のような図書館へもぐりこむよりしようがなくなった。

これらのさまざまな革命がすっかりそろって私たちの町に到着するためには何年もかかった。私たちを支配する人物の想像力と実践力は大型で、原動力にみち、それをつたえる機構も綿密で効果的であったが、それにもまして帝国の版図、大陸全土は広大であった。日常生活において、おこりつつある変化の全貌《ぜんぼう》をつかんで原則を知るようなことは、私たちのような田舎町の住民にとってほとんど不可能なことであった。行商人がもってくる秤や桝や荷車や書物などを私たちは何ヵ月おきかにぽつりぽつりと入手して、行商人たちのいうままに町で再生産した。彼らはすでに全国どこへいっても共通の基準で商取引のできる便利さになじみきっていたので私たちもいきおいそれについていかなければならなかった。町はきわめて緩慢にこれらの新しい刺激をとり入れ、消化していった。首都建設の情報がもたらされた夏から夫役人として徴集されるまでの数年間、町はまったく平穏であった。生涯をふりかえって私はこの数年をのぞくほかに安息を感じたことは一瞬もなかった。この期間、首都周辺の都市や地方の大都市では新しい苦痛が発生しつつあったのだが、私たちに関するかぎり、毎日はまったく平穏であった。

すでに戦争はやみ、支配者はいず、難民もまたいなかった。私たちは、いつのまにか、城壁や畑や屋根や食器のなかを季節がふたたびよこぎっていくのを発見するようになっていた。町はあいかわらず渺《びょう》たる地平線上の土の芽であり、大地の凸起にすぎなかったが、それをかこむ幾重もの緑の輪状帯は受胎力を回復し、馬蹄《ばてい》や兵車によって裂かれた傷口は麦や高粱《コーリャン》に蔽《おお》われた。穀物倉の戸が修繕され、人びとは壁や床や中庭のあちらこちらに掘った穴を埋めた。百姓たちは陽気な叫声をあげて豚や牛を町に追いこんだ。かつて教師が丘の退避壕《ごう》のなかであこがれ、私たちがめまいをたえながらののしった音楽や料理や匂《にお》いが町のあちらこちらによみがえった。庭の奥の少女のうたごえ、屋根にとびあがった鶏をののしる叫声、陽だまりの無駄話、藁《わら》の匂い、家具の静かに乾割《ひわ》れる気配。ふたたび道具が人びとの顔や眼のなかで生きはじめ、さまざまな儀式が思いだされた。酔っぱらいが腹をたたきながら塀や戸にぶつかりつつ歌とともに去ってゆく夜ももどってきたし、物故者の追悼式も催された。私たちは城外にでかけて街道や廃溝《はいこう》や残飯捨場などを掘りおこし、かつて撲殺した落伍兵、難民、赤ン坊たちの骨を集め、丘の共同墓地に埋めなおしてやった。輪姦《りんかん》された服屋の寡婦《かふ》は雑役婦としてはたらいていたが、追悼会の日には麦や乾肉をもらって、みんなにかわって丘のうえで叫び泣いた。

　こうした日々がいつを境にして発生したのかはよく思いだせない。首都建設の情報が入った夏を終戦の年だと考えたいが、じっさいに宮殿の建築が着手されたのはその一年まえであったし、さらに、その二年まえにさいごの将軍が北方遠征軍の噂《うわ》さを聞いて町を去ってしまい、実質上の圧迫は消えていた。しかし、私たちがほんとに心理的な戒厳状態から解放されて輪番制だった望楼の見張りをやめたのは、首都建設の噂さを聞いた翌年の春であった。そのころになると人びとはようやく安心し、百姓たちは畦道《あぜみち》にヒバリの籠をおいて畑を耕やすようになった。眼をとじてすわりこんでいた町に栄養の液がひそかな気配で流れはじめ、塀や立木のかげに顔がちらりとのぞいて消えるというようなこともなくなった。落伍兵や脱走兵たちの群れが兇暴《きょうぼう》な小集団をつくってあちらこちらの町を襲っているという噂さは何度か聞いたが、私たちの町はどういうわけか災厄をまぬがれて、一度も夜警団を組織する必要がなかった。私はいつのまにか少年時代からの慢性貧血症からたちなおり、はげしい運動をしてもめまいをおこしたり、眼華の乱舞を見たりすることがなくなった。夜ふけに仕事をおわって、毛皮や農耕具や大豆袋などを積みあげた帳場にもたれて酒をひとりで飲むとき、私は家具のように堅く重い自分の体と、そのなかで軽く音をたてつつ流れまわる、新鮮で温かい血液の気配を感じ、戸や壁や道のむこうに聞こえる居酒屋のかすかなざわめきに耳をかたむけた。父のやっていたように私は日なたぼっこを好み、白湯《さゆ》を愛するようになり、荒れきっていた城外の家を手入れして、肌をぴったり土にくっつけて何時間もじっとねそべったまま夏の夜をすごすことをおぼえるようになった。いつしか私もまた季節に体を浸し、そのまま静かにおぼれ死んでいくかと思われた。

しかし、この安逸もついに冬の道の陽だまりのようなものにすぎなかった。その温かみが服の繊維をふくらませてから肉にしみ肋骨《ろっこつ》のあいだにやっとたまったところで、陽が消えてしまったのだ。平和がいつ畑からたちあがってきたかということについては明確な記憶をもたないが、恐怖の訪れた日のことははっきりおぼえている。それはいままでの軍隊のように銅鑼《どら》も鳴らさなければ歓声もあげず、矢のうなりや槍《やり》のひらめきもなかった。すでに私たちは望楼に見張番をたてることをやめていたので、彼らがやってくるのをあらかじめ発見したものはひとりもいなかった。ちょうど正午頃のことだったので、町の人びとは道ばたでサイコロばくちをしたり、闘鶏をしたり、ヒバリの鳴きあわせや冗談話、牛の背をつまんだり、藁をくわえてぶらぶらしたり、なんとなく日なたを歩きまわっていた。城門はしじゅう出入りする百姓や家畜の群れたちのために大きくひらかれたままになっていた。そこへ彼らは街道からまっすぐ入ってきたのだ。

はじめのうち私たちは彼らが行商人の一団ではないかと思った。指揮者らしい男がひとり先頭にたってみじかい棒をもってはいたものの、あとの連中はみんなばらばらの服装で、日光に眼をしかめたり、髪をかいたり、ぼんやり両手をぶらさげて屋根を見あげたり、のんびりした様子をしていたからだ。とうてい彼らが兵士であるとは思えなかった。彼らはしばらくそうやって広場の人ごみや市場通りの雑踏の風景などを眺めていたが、やがて先頭の男は二、三人の仲間を呼び、なにか耳うちして棒をあげた。棒は町の屋根のうえをあちらこちらとさまよってから、やがて、ぴたりと市場通りのさきをさしてとまり、しばらくじっとして、力なくおちた。私は店さきにたってすべてを目撃していた。

棒をおろすと、男はポケットから笛をとりだし、たくましい胸を橋のようにふくらませてするどく吹き鳴らした。それを合図にひとりの男が綱をもって市場通りを全速力でかけだした。彼は片手に綱をにぎり、通りにひしめく人びとをおしのけ、はねのけて、ただひたすら一直線に走って、またたくまに通りのかなたの城壁にたどりついた。綱はピンと張られて町を正確に二つに割った。人びとが茫然《ぼうぜん》と佇《たたず》んで綱を眺めていると、笛を吹いた男がめんどうそうな、慣れきった動作で広場のまんなかにでてくると、皇帝の命令によって必要人員を徴集する。綱より右半分の区域にたち、そこに住み、現在時そこにいる者のうち十八歳以上の男は即刻集合せよ、といった。彼の命令がおわるかおわらないかに、いまのいままでだらしなく陽に眉《まゆ》をしかめて爪《つめ》をかんでいた兵士たちがいっせいに体をのばし、綱にそって眼にもとまらぬ速さで走ると、一〇メートルおきにたって人びとを狩り集めはじめた。彼らは綱から左側の区域にいる男たちには、どれほどたくましく、どれほど綱に接していようと、まるっきり見むきもせず、指一本ふれようとしなかった。が、右側の区域の男にたいしては全身的な力をふるったのである。人びとはおそいかかる兵士から逃げようとして必死になって走った。サイコロがとびちり、鳥籠《とりかご》がふみつぶされ、牛や豚が悲鳴をあげて走るなかを人びとはわけもわからず口ぐちに叫びかわしながら壁の穴や路地や倉庫のなかへ走りこもうとした。兵士たちは右にとび、左に走り、逃げる男をつかまえて顎《あご》を殴ったり、膝《ひざ》で腹を蹴《け》ったり、正確に急所急所を狙《ねら》ってめまぐるしい活動をした。指揮者の命令を待っているあいだは歩き疲れた埃《ほこ》りまみれの行商人としか見えなかった彼らがひとたび運動をはじめると兇暴な能率が筋肉を占めた。迷わず、ためらわず、彼らは殴るべき人間を殴り、蹴るべき人間を蹴った。彼らの生地の粗い服のしたにひそむ筋肉が技術と効果のためにだけ、ただそれだけのために形をあたえられつくりあげられたものであることがはっきりと了解された。誰ひとりとして彼らの眼と手から逃げられるものはなかった。家に逃げこんだものはひきずりだされ、城外へ走ろうとしたものは城壁に追いつめられ、家にかくれていた男は病人も老人もかまうことなくひきずりだされた。

異様な光景であった。兵士たちは綱の右側にいた人間を骨の砕けそうになるほどの音をたてて殴りながら、左側の人間には唾《つば》ひとつかけないのである。町は静寂と混乱の奇怪な混合となった。綱の左にいた人間は兵士たちが行動をはじめたとたんいっせいに逃げだしたが、やがて彼らが綱をくぐってやってくる意志のないことをさとると、家や倉庫からぞろぞろ這《は》いだし、寝ていたものまでおきて、おそるおそる綱にちかづいた。兵士たちは殴りたおした男たちをひとりずつたたせて綱にそって一列にならばせると、今度は一軒一軒家に入っていってベッドのしたから物置のなかまで、徹底的に捜索した。彼らの厚い体がドアのなかに消えると、やがてあちらこちらの壁のなかでけたたましい男女の叫声がおこり、人びとはくちびるから血をしたたらせながらよろよろと道にでてきた。

隊長はそのあいだ広場の中央にたって部下の行動をぼんやり眺めていた。彼は疲れたような表情ですこし口をあけ、指揮棒で軽く腿《もも》をうちながら、ときどき土けむりや叫声などに憂鬱《ゆううつ》なまなざしを投げた。重い顎とたくましい後頭部を彼はもっていたが、がっくりおとしたその厚い肩からは無智と孤独が発散していた。彼は両手をうしろに組むと指揮棒をぶらぶらさせながら右に五歩ほど歩き、ゆっくりもどってきて左へ十歩ほどゆき、日光を楽しむ散歩者でもなく、人を待つ人間のようでもなく、女や男の泣声、叫声、頭のぶつかる音や肉の鳴る音、あわただしい荷車のひびきや家畜の悲鳴などのなかをだまって往《ゆ》き来した。彼の無関心さはいたるところに見いだされた。はじめに綱をもって走った兵士は市場通りに綱を張りわたしてしまうと、あとは城壁にもたれてだらりと腕をたらしたまま仲間たちの運動をぼんやり眺めているだけで、追われた町民が綱をくぐって左地区へ入ろうとするのを見ても眉ひとつうごかさなかったし、右地区のなかを走りまわる兵士たちも右に左に走っているように見えながらよく注意すればひとりひとりはきわめてせまい活動面積しかもっていないことがわかった。はじめに彼らは一〇メートルおきぐらいにわかれてたったので、狩りこみをはじめてもその間隔内でしか活動しないのだ。彼らは自分の領域内にいる町民には苛烈《かれつ》な精力を消費したが、他人の受持区域の人間にはほとんど関心をしめそうとしなかった。追う人間より追われる人間の数のほうがはるかに多いから力を分散させないように、という計算からかもしれない。しかし、あきらかに彼らの狂暴さは粘着力をもっていなかった。なぜなら、ほとんど右地区の人間が逮捕されたなかで二、三人の敏捷《びんしょう》なものだけはたくみに兵士それぞれの領域線上だけを縫って走ったために左地区へ逃げこむことに成功したからだ。兵士は領域線まで追いつめても相手が他人の受持区のなかへとびこむのを見とどけるとそれ以上積極的に追おうとしなかった。そのため領域線を走る人間は右と左から迫る二つの力をなんの労力もなく殺しつつ走れることになるのだ。ひしめきあう雑踏のなかでその力の地図を瞬間的にさとった人間だけが逃走に成功した。あとはみな逮捕された。私はひとりの兵士がまっしぐらに走ってくるのを見て、背をおこし、殴られるまえに綱のほうへ自分から歩いていった。

隊長の命令はきわめて忠実に果された。綱から右の男はことごとく犯罪者にされた。左地区に住んでいながらたまたま道路の中央より右にたっていたものも、一瞬まえまで左にいたのに綱を張られるときにおしのけられたためにころんで右へ入ったものも、また右でもなく左でもない城外の百姓がたまたま野菜籠を道路右寄りにおろして立話をしていたためとか、あるいはたったいま道路を右から左へよこぎろうとしていたのにとか、さまざまな哀訴の声を私は列のなかで聞いたが、隊長や兵士はなんの注意も払わなかった。はじめに綱をもって走った兵士が城壁から体をおこし、道路のまんなかにずらりとならんだ私たちをひとりずつ縛ってつないでいった。ほかの兵士たちは彼がどんなに手間どっても知らぬ顔で、藁をくわえたり、空を眺めたりしていた。発《ば》条《ね》はすでに死んで、ゆるんでいた。彼らの顔や肩や腕にはついさきほどまでの狂暴さが一刷《は》きものこっていなかった。彼らはことごとく第一級の戦士としての筋肉、握力や脚力や正確きわまる技能をもっていた。彼らの腕にふれて嘔気《はきけ》を感じなかったものはひとりもない。走っているときの彼らの体は刃や槌《つち》なのだ。それほどの狂暴さが笛の一吹きでなんの準備もなくとつぜん発動し、一瞬で高頂に達し、目的を果したとたんに死ぬのだ。これはいままでの兵士ともちがう型である。いままでの兵士はかならず兵士であった。しかし私たちを狩りだした連中は兵士ではないのだ。彼らはまったく新しい職業人だ。はじめて私が出会い、その後数知れず出会った、皇帝の新体制が生みだした、まったく新しい職業人、顔や体からその道具をうかがい知ることのまったくできない職業人であった。私たちは彼らにひきいられ、半身不随になった町をあとに、正午すぎの街道へでていった。

三

いくつもの町を通過して私たちは首都にむかった。はじめの隊長は私たちを徴集した目的をまったく知っていなかった。彼は私たちを近郷のいちばん大きな市へつれていった。ここはついさいきんになって首都からの贈物をうけとっていた。すなわち、三つの大きな官庁の建物があって、そこに市長と警察署長と税務署長がいた。この三人は皇帝が全国のあらゆる町にたいしておこなう組合わせ式贈物であった。下級官吏にはすべてその土地の出身者を採用したが、指導者級の人間はみんな中央から派遣され、たえず更迭《こうてつ》して彼ら自身の力がその土地に蓄積されないような仕組になっていた。

私たちは隊長につれられて市庁前広場にゆき、つぎの係官に身柄をわたされた。広場には地方のあちらこちらからおなじように狩りだされてきた人びとの群れがいくつも集っていた。隊長とその兵士たちは私たちを市役所の役人にわたしてしまうとつぎの町を襲いにさっさと消えていった。その市を出発したとき私たちの集団は大きくなり、護送の兵士の人数もずっとふえた。私たちは係官から訓示をうけ、はじめて北方の国境に長城をつくる計画が皇帝から発表されたことを聞いた。

皇帝は全閣僚を集め、大秦《だいしん》帝国を長城によって防備せよと命令したのである。目的は匈奴《きょうど》の侵攻の阻止である。いままで北方諸国はたえず遊牧民族の侵入とみずからの政治の貧困による内乱の続出という二重戦をたたかってきた。そのため歴代の王たちはつねに防壁建造の土木事業費にくるしめられ、重税と夫役義務を人民に負わせて内乱の原因の大きなひとつをつくっていた。彼らはたいてい国境を壁で蔽《おお》いきるまえに内乱か隣国の王によって亡《ほろ》ぼされていったので、壁は国境線のあちらこちらでばらばらに切れたままになっている。それを改築し、補修して、何万キロと果知れぬ壁をつくろうというのである。広大な黄土地帯がおわって中央アジアの高原がはじまろうとする地域である。草原と山岳と砂漠をつらぬいて壁は地平線を蔽うのである。皇帝は蒙恬《もうてん》将軍に三〇万の辺境守備隊の出動を命じた。建設大臣は何ヵ月にもわたる計算の末に厖大《ぼうだい》な労働軍の必要を具申した。その数字にしたがって国務大臣は総動員令の発布を請求し、人民を徴集するための、あらゆる法律と手段を考えるため、おびただしい会議をひらいた。大蔵大臣、国税庁長官は労働部隊と辺境守備隊を運送し、維持するための巨額の経費を捻出《ねんしゅつ》する徴税対策に没頭した。首都の全官庁は書類と数字を相手に想像を絶する管理戦を開始したのだ。

首都に到着して宮殿前広場の閲兵式に参加するまでに私たちは無数の町を通過した。皇帝の新しい不浸透性への衝動がおよぼした影響を私たちはあらゆる町に見ることができた。これは新しい戦争の開始であった。どの町も焼けず、崩れず、裂けた畑や街道の遺棄死体を見ることはなかったが、穀物倉はからっぽで、商店の窓に砂埃りがたまり、広場に人影のないのはかつての軍閥時代そのままだった。私たちは長途の徒歩旅行に疲れきっていたので、畑のかなたに黄土の壁があらわれると軍歌や労働歌を大声で合唱しながら進んでいったが、町の人間は誰ひとりとして出迎えにあらわれなかった。どの町も私たちが到着するよりまえに男たちが徴集されて出発したあとだったので、城門をくぐっても、家や路地からでてくるのは寡婦《かふ》と子供と老人ばかりであった。憲兵と収税吏は町が最低の生活を維持してゆくのに必要な男たちをのこしておく習慣だったが、誰を徴集し、誰をのこすかという選択の権限はいっさい彼らに任せられているので、女たちは私たちの労働部隊の先導者に男たちの姿が見つかることを恐れ、私たちが街道のかなたにあらわれるのを見るや否《いな》や町の裏門から男たちを退避させた。女たちは法令によって労働部隊の士気を鼓舞することを命じられているので、私たちが町に入ると、手と手に水壺や粟粥《あわがゆ》の碗《わん》をもってでてきた。ときには休息が夜までのびて宿泊するようなこともあったが、こんなときは女たちは広場にかがり火をたいて合唱や輪舞を見せてくれた。夜空にこだまするその喚声や音楽は、しかし、私たちの疲労を回復するのになんの効果ももたなかった。女たちの体は閉じて、ひからび、むなしい経血の匂《にお》いをたて、かがやかしい火のまわりの暗がりにうかんだり、消えたりする顔はゆがんで眼を伏せていた。朝になって私たちが町をでて、街道をしばらくいってからふりかえると、男たちが畑をよこぎって町にもどってゆく姿が見られた。彼らは丘や溝や森から這いだしてきたのだが、そのとぼとぼとした足どりは哀愁に犯された泥酔者のように朝のものとも夜のものともけじめがつかなかった。

首都にちかづくにつれて街道はいよいよ災厄に蔽われはじめた。町、村、市場、畑、壁のなかから狩りだされた男たちが高粱《コーリャン》畑のなかをぞろぞろ歩いていた。彼らは茂みのかげの細流からあらゆる水の脈管をつたって大河へおりてゆく魚群のように畦道《あぜみち》から村道へ、村道から街道へ、郡、県、市を通過していっせいに首都をめざして行進していた。綱につながれている一群もあれば、鞭《むち》に追われて歩いている一団もあり、道ばたにごろ寝する小隊もあれば、夜昼なしに歩きつづける中隊もあった。平野を網の目のように蔽う無数の道の交叉点《こうさてん》で部隊と部隊が出会うとそれはくっついてひとつになり、市庁、県庁の広場でさらにその地方の東西南北から集った諸部隊に合流して大旅団となってつぎの旅行に出発した。私たちはやがて綱をとかれたが、厳重な点検をうけて、およそ武器と目されるものなら革帯からピン一本にいたるまで没収された。部隊が大きくなるにつれて私服の憲兵にかわって完全武装した兵士が私たちを監視するようになった。彼らは馬や兵車にのって部隊の前後を守り、逃亡したり、抵抗したりするものがあればその場で切り殺した。病人や老人たちが過労にたえかねて倒れると、これまた容赦なく斬殺《ざんさつ》し、死体をそのまますてて行進をつづけた。彼らは犠牲者が他界に再生することのないよう、かならず首を切りおとした。沿道の町村の人びとはそのような死体を公墓地に葬《ほうむ》る習慣をもたなかったので、死体は陽に蒸され、雨にぬれて、とけたり、くずれたりするままになった。私たちはぼろぎれのようになったシャツと服のうえに縄一本をしめ、これらのもうもうとした狂気の腐臭を発散する影たちといっしょに街道を歩いていった。

兵士たちは私たちのうえにいっさいの権力をふるった。法は彼らが恣意《しい》によってその運搬する筋肉の群れを左右することをゆるしていた。もちろん、彼らが限度以上に私たちを虐待《ぎゃくたい》することは長城建設の労働量を減退させることになるから、その点いくらかの注意が払われた。が、私たちが鞭や剣や棍棒《こんぼう》のまえではただの一箇の生温かい息を吐く肉の袋にすぎない根本的な事実はみじんもゆるぐものではなかった。まったくそれは石より堅固な事実であった。

しかし、いっぽう兵士自身も恐怖にさらされていたのである。法務大臣は彼らを絶望的な時間との競走に参加させることを考えついた。徴発地から首都までと、首都から北方辺境までの距離はこまかく分割されて、兵士たちはそれぞれの受持区のなかを独立的に往復しなければならないことになったのだ。彼らは必要人員をきめられた日時に目的地へはこばねばならない。もしそれが果たされず、遅れたり欠員ができたりすれば、兵士たちは到着地の現在時をもって死刑、または流刑《るけい》に処せられる。いまのいままで私たちに棍棒をふるっていた人間がたちまち夫役囚に転落してしまうのだ。彼らは病人でも老人でもかまうことなく歩かせ、倒れればその場で切り殺し、欠損を埋めるために畑へかけだして百姓をひっぱってきた。この員数主義が知れわたると私たちの姿は沿道の町村にはげしい不安を地下水のように浸透させた。百姓も商人も通行人も街道のむこうにぼろぎれのかたまりを発見すると、たちまち鋤《すき》や牛をすてて走った。私たちは広大な無人地帯を歩くこととなった。すると兵士たちは、今度は、できるだけ欠員を来たさないよう配慮しなければならなくなった。彼らはいままでのように衝動にかられて囚人を殺すことができないのだ。彼らの死活をにぎるものは私たちの足なのだ。私たちの憎悪《ぞうお》と兵士たちの憎悪は等質かつ等量になった。しかも法のまえにおいては指揮の将校から一兵卒にいたるまで、ことごとく同資格である。いっさいの階級差なく彼らは無力なのだ。もちろん私たち夫役人にとってもこれはかわらない。私たちの歩行能力は全将兵の運命を決する。それは事実である。しかしこれは特権ではないのだ。皇帝の新体制においてはいかなる意味でも特権をもつ人間は存在しないのだ。もし私たちが長途の旅行の苦役にたえかねてサボタージュをおこない、日程が遅れたら、たちまち殺されてしまうのである。夫役人も兵士も、すべての人間が時間の囚人となった。私たちの憎悪は肉のうちにとどまってよどみ、腐りはじめた。

　いっぽう官吏たちのおかれた立場も奇怪なものであった。長城の建設計画が実施に移されると、中央と地方と、あるいは幹部と末端とを問わず、おびただしい事務が発生した。三〇万の辺境守備軍と数億人の労働部隊を維持し、活動させるための計算と管理の事務である。それは想像するだけで私たちを硬直させてしまう。のみならず、咸陽に到着してからわかったことだが、皇帝は壮大な宮殿の建築を人民に要求したのだ。彼は全国の建築学者を首都に呼びあつめて、阿房宮《あぼうきゅう》は世界の核たるべきことをいいわたした。その規模はかつて私が行商人から帳場台に略図を描かれて茫然自失《ぼうぜんじしつ》した想像をはるかにこえるもので、各国首都の王宮そのままの様式をもつ二七〇の宮殿から成り、ひとつひとつの宮殿は独立して、両側に壁のある舗道で連絡されるはずだという。そのために動員される人夫の数は七〇万人、完成の日はいつか、誰にもわからない。さらにこの宮殿のほかに、首都から主要な地方都市に放射する、皇帝の温涼車《おんりょうしゃ》のための軍用道路七二〇〇粁《キロ》が決議され、工事に着手されたのである。国務大臣はこれらいっさいの事務の洪水を解決するため、計算に計算をかさねたあげく、破天荒な法令を発布した。彼はありとあらゆる角度から事態の厖大な複雑さを検討した結果、かつてどんな為政者も思いおよばなかった結論をくだしたのである。すなわち、全官庁職員は一日の執務量をきめられて、一日に官公文書一二〇斤《きん》を処理しなければならないことになったのだ。

この数字はあくまでも数字である。それは徹底的に量であって、いっさいの問題の解決者は秤《はかり》である。私たちは役所へいって、各課長の机のうえにおかれた、小さな、みすぼらしい器具を見た。背骨の穴のなかまで埃《ほこ》りがつもったかと思われるような課員たちはめいめいの机にむかって必死になって小刀をふるっていた。彼らは手《て》垢《あか》のために皮革のような光沢をおびたカバーを腕にはめ、前垂れを腰につけ、机のうえにおかれた竹簡《ちくかん》へ文字をきざむことに没頭していた。机の隅には竹簡の山が築かれ、課員たちは一枚きざみおわるたびに眼もあげずに左へ移し、右から一枚とった。そこになにが書かれているのか私たちにはわからない。夫役の流刑囚たちはおどおどしたまなざしで部屋へ入ってゆき、自分の出身地と名前を告げた。役人はどんなわかりにくい方言でどんなむつかしい名前をいわれてもたじろがなかった。はたして自分の名前がそこにきざまれたものかどうか、まったく疑わしいかぎりである。部屋のなかには夫役人たちの声と、小刀と、竹のきしみがみちているだけだった。人びとは入ってきてつぶやき、でていって廊下にならび、部屋から部屋へ、廊下から廊下へと歩きまわった。役人たちはときどき体をおこしてきざみおわった竹簡の山に魚の眼のようなまなざしを投げ、一二〇斤にたりないと見てとるとふたたび小刀をとりあげてかがみこんだ。ときどきあちらこちらの机で小さな叫声がおこって、役人がよろよろたちあがり、竹簡の山をかかえて課長のところへいった。課長はおもむろに湯呑茶碗《ゆのみぢゃわん》をおくと、秤をとりあげて、もちこまれた竹簡を計った。彼が目盛を見てうなずくと、竹屑《たけくず》に全身まみれた課員は弓のようにまがった背骨をミチミチと音をたててのばし、順番を待っている夫役人たちに軽く手をふって見せて部屋をでていった。夫役人たちはまだ一二〇斤にみたないであえいでいる役人の机へわれさきにと殺到し、口ぐちに名前を叫んだ。

こうして犯罪者名簿に登録されると、つぎに私たちは衛生局へまわって額にいれずみをうけた。ここでは大きな部屋のなかに十数脚の布張りの野戦用寝台がおかれ、医者がひとりずつついて、つぎからつぎへとやってくる夫役人たちの額を裂いていた。朝から晩までひっきりなしに作業をつづけるため医者たちはいずれも全身に血を浴び、屠殺夫のようになってはたらいていた。三人の医者に一人の割合でとぎ屋がついて、床にあぐらをかき、わきめもふらずに砥石《といし》でメスをといでいたが、私は刃こぼれがしてヤスリのようになったメスを額につき刺され、ひとえぐりえぐってからインキをしみこませた綿でぬぐわれた。夫役人たちはいくつもの長い列をつくって部屋につめかけ、あふれた連中は廊下から建物のそとの広場にまではみだしてぼんやりと順番を待っていたが、医者は一日の割当分の一〇〇人の額を裂くと、さっさとメスをすてて帰ってしまった。残された囚人たちはそのまま廊下や階段や広場でねむり、翌朝、医者がやってくると、血だらけの床からむっくり体をおこし、ひとりずつ穴をあけられて部屋をでていった。

咸陽の町には魅力と狂気がたちこめていた。額を裂かれた徒刑囚たちは土埃りのように市とその周辺に群がり、軍用道路をつくったり、宮殿を築いたりしていた。道路はどんな兵車の重量にもたえられると同時に皇帝の温涼車にどんな振動もあたえることのないよう、あらかじめ鉄筋を敷いたうえに石がびっしりと隙《すき》なくつめこまれた。囚人たちは遠い山岳地帯から送られてきた巨石をノミできざみ、手斧《ておの》で割り、道のうえにしゃがみこんで作業した。彼らがほとんど自分の手の一部となってしまったような斧でコツコツと石をきざみながら進んでゆくところを遠くから見ると、人間というよりは一本の長いぼろ布が道のうえをジリジリうごいていくとしか見えなかった。雨や風にさらされ、夜は夜でかがり火をたいて、彼らはくる日もくる日も地平線にむかって蟹《かに》のように這《は》っていった。そして、彼らの頭と手のうえを長城にむかう労働部隊と地方からの新たな予備軍が靴をひきずりつつ出発してゆき、入京してくるのだ。でてゆくものも、入ってくるものも、古シャツのうえに縄一本を巻きつけた恰好《かっこう》で、汗と土にまみれ、私たちは敗血症にかかったどす黒い血液の循環を見るような気持で彼らを送り、迎えた。

徒刑囚たちが斧をもって這っていったあとには鏡のような道路がのこったが、いっぽう市の中心部では壮麗をきわめた宮殿が生まれつつあった。阿房宮は建設に着手してから数年たっているのに、やっとその設計図の一隅が実現されたにすぎなかった。

しかし、私たちが帝国の精力と美を理解するにはそれだけですでに十分だった。はるかに遠く高く、絹と音楽と壁の奥からつたわってくる醜聞は皇帝が軟骨症にかかって鳩胸であり、かつ気管支障害のために声がしゃがれ、幼少より病弱で猜疑心《さいぎしん》が深いという不具者の風貌《ふうぼう》を描いているが、私たちは眼前にそそりたつ柱と窓と壁と彫刻の巨大な交響楽を見ると、たちまち皇帝その人の肉体を忘れて群集のなかにたちつくした。無数の夫役人たちが眼もくらむような足場を上下し、壁にしがみつき、屋根や回廊のうえでうごめいていた。宮殿の規模の広大さは彼らを死ぬまでそこにとどまらせるかと思われるほどであった。宮廷楽団の奏《かな》でる旋律は市の上空に森や峡谷を出現させ、化粧煉瓦《れんが》をしきつめた舗道を走る馬車の窓には廷臣や宦官《かんがん》の暗い顔がひらめき、女たちは笑っていた。

しかし、これらのもののそとにはおびただしい死体があった。指定の日時に労働部隊を首都に送りこむことのできなかった憲兵や警官たちが殺された。指定の量の官公文書を捏造《ねつぞう》するにじゅうぶんな体力と想像力をもたない官吏たちが殺された。女の悲鳴や老人の哀訴に敗れて牛や穀物を奪いそこねた収税吏が殺された。逃亡を計った徒刑囚、いれずみを拒んだ夫役人、暗殺容疑者、未遂強盗、酔って皇帝を誹謗《ひぼう》したもの、凶兆を告げる占星術師、すべて疑わしき人物が殺された。なかんずく現代批判の基準を過去のよき日に求める歴史学者や皇帝制の不変に疑義をさしだす進化論者たちはその思想を口にだすだけで三族誅滅《ちゅうめつ》を宣告された。私たちは辻や広場で考えられるかぎりの変形をうけた人体を見た。人びとは舌を切られ、鼻を削られ、手足を切断され、四頭の牛によって東西南北へひき裂かれた。さらし首、穴埋め、腰斬、車裂、磔刑《たっけい》。それらすべての刑はあの徴兵事務局の課員や衛生局の医者たちとおなじような、憎悪の方向を失った人びと、管理者、時間や物の囚人によってきわめて冷静に執行されたのである。職業人たちは透明な漏斗状の凹《へこ》みの底できわめて冷静に関節の弱点を狙《ねら》うことを考え、身長と穴の深さの関係を計算し、苦痛の量と時間を自由に調節できる技術を身につけることを練習したのである。ときどき私たちは実験的にいま埋めたばかりの人間の首がずらりと両側にならんだ道を何回となく隊伍《たいご》を組んで歩かせられることがあった。受刑者たちは、はじめのうち私たちのたてる土埃りをかぶるまいとして眼を閉じたり、眉《まゆ》をふるわせたり、唾《つば》を吐いたりしているが、そのうち土が固くなって圧力が全身にかかってくると、のどをぜいぜい鳴らし、異様なしゃがれ声をたてて叫んだ。道のかなたにたった執行課員は埋められた男の苦痛の変化を観察しながらさまざまな命令を下した。いわれるままに私たちは全速力で左へ走り、右へ駈《か》け、わめき叫ぶ顔のまえでとんだり、跳ねたりした。私たちの体重はやわらかい土のなかにしのびこみ、あらゆる方向から受刑者たちの体にじりじりとのしかかっていった。彼らは顎《あご》まで土に埋まって道とたたかった。血管を怒張させて彼らがうめいたり、叫んだりするたびに私たちは彼らの肋骨《ろっこつ》が肉のなかでたわんでにぶいきしみをたてるのを足や腰に感じたが、たじろぐすきもなく執行課員が叫ぶので、ひたすら走るよりほかなかった。町の人びとは朝から夕方ちかくまで私たちがほとんど食事も休息もせずに右へ左へよろよろ走りまわる光景をただ遠くから両手をたらして眺めるばかりだった。執行課員は執行課員で、吐瀉物《としゃぶつ》にまみれて窒息死した受刑者のよこにしゃがみこんで彼が何時間かかってどのように死んでいったかを記録し、かつその体験を今後大量の受刑者群にたいしてどう適用するか、という結論を引出すことに没頭しきっていた。

咸陽の町ではまったく肉のうちにこもるよりほかにしかたがなかった。出版業者は医学書と星座表と農芸書をのぞくほかはいっさいの書物の刊行を禁じられ、その三種以外の本は徹底的に摘発されて焼かれたので、古本屋や図書館は埃りのつまったからっぽの穴になってしまった。広場や辻では本が山のようにつみあげられ、油をかけて、焼かれた。憲兵や刑事がその火の山のまわりにたってするどい眼を光らせているので人びとは遠まわりして歩いていったが、ときどき私たちは現場から一町も二町もはなれた暗がりにたたずむ人影をみとめた。彼らは戸や塀や路地の出口などで壁にぴったり体をくっつけて火のほうを眺めていた。私たちの足音を聞くと彼らはおびえたまなざしでふりかえり、細い、くぼんだうなじを見せて夜のなかへ消えていった。何ヵ月にもわたって焚書《ふんしょ》が毎夜のようにつづけられたので町に学者や学生の姿はほとんど見かけることができないようになった。私服の刑事があらゆる教室や塾にもぐりこんで授業を盗聴し、皇帝や現代について批判を下す人間があれば片言隻句《へんげんせっく》をとらえてかたっぱしから投獄、死刑、流刑《るけい》に追いやったのだ。長城と宮殿と道路は厖大《ぼうだい》な人員を必要としたし、刑事たちは員数をわりあてられていたから、ありとあらゆる口実を設けて人間を徴発したのだ。捕えられた学生たちは額にいれずみをうけ、ほかの百姓や商人や官吏たちとまじって広場で閲兵式をうけてから北方の砂漠へ行進していった。

　私たちは首都について登録といれずみをすませると、いくつかの大旅団を結成するのにじゅうぶんな地方部隊が到着するまで荷役や道路工事などをやらされた。石材、木材、塗料、道具などを満載した牛車が東西南北の街道をつたって咸陽の町へやってくるのでそれらをおろしたり、つみなおしたり、各現場へ配給したりするだけでもたいへんな労働量に達した。私たちは毎朝点呼をうけると隊伍を組んで町へ行き、仕事がおわると夕方また点呼をうけて宿舎に帰った。宿舎は市外の畑地をつぶして天幕や掘立小屋などがたてられ、まわりには柵《さく》が設けられて逃亡や脱走ができないよう監視人が二四時間勤務をやっていた。しかし、私たちは脱走者が捕えられるとどんな苛烈《かれつ》な処分をうけるかということを辻や広場で見せつけられていたので、柵のなかから逃げようなどとはついぞ衝動に身をゆだねる気になれなかった。仕事から帰ってくると、私たちは配給の雑炊を食うのもそこそこに天幕へもぐりこんだ。若すぎる人間や老いすぎた人間たちは食後の時間を散歩や猥談《わいだん》にすごし、ときには残飯でつくった密造酒に乱酔して殺しあいをやったり、サイコロ賭博《とばく》にふけって故郷の妻や家や牛を賭《か》けたり、ひとこともしゃべらずに何日も石に自分の名前を彫りつづけたりした。が、たいていの者は土に頭をおとしたとたんに全身をしびれさせる泥睡のほうを選んだ。男たちはまっ暗な小屋のなかで着のみ着のままたがいにかぶさりあってねむった。小屋のなかには寝具などひとつもなく、土のうえへじかによこたわるのだが、つぎからつぎへと来ては去り、去ってはやってくる男たちの皮膚にこすられて土はすっかり固くなめらかになり、汗や垢や精液の匂《にお》いをむんむん発散させていた。その悪臭は、かりにこの天幕や小屋をとりはらって焼いたり灰をまぶしたりしてもとうてい消すことができないように思われた。私たちは居酒屋のテーブルのように汚れ果て、腐り果てた大地に寝ているのだ。尿と精液の匂いはほどいてもほどいてもくりだしてくる巨大な毛糸の玉のようにその厚く深い粘土や岩盤の芯《しん》からたちのぼってくるのである。男たちは暗がりのなかで、たがいに手淫《しゅいん》しあったり、横腹をかいたり、おくびでのどを鳴らしたり、夢のかけらと唾をもぐもぐかみしめあったり、とつぜん叫んではねおきては絶望にふたたび沈みこんだりしながら皇帝のもっとも小さな贈物である眠りをむさぼることにふけった。

しかも、なお、注意していただきたいのだ。私たちは大陸のあらゆる襞《ひだ》から狩りたてられ、吐きだされ、吸いよせられて一点に集結してはふたたび帝国のはるかな寒冷の皮膚へと流れ、しみこんでゆく、廃血の循環にすぎないのだが、しかも、なお、その心臓を出発するときは奇怪な民族感情の起動力をあたえられていたのである。閲兵式の夜を私は忘れることができない。

いよいよ全地方からの労働部隊が集結して、旅団が編成されると、私たちは何日にもわたって宮殿前広場で閲兵式をうけた。天幕村、掘立小屋、軍用道路、宮殿、学校などに寝泊りしていた、おびただしい数の夫役人がいっさいの道具を放棄して夕靄《ゆうもや》の青い川のなかを広場に集ってきた。式は夕刻から開始されて深夜に及んだ。広場のあちらこちらには塔がたって巨大な鍋《なべ》を捧《ささ》げ、油の池に浸された薪《まき》に火がつけられた。この夜空にこだまするかがり火のなかで宮廷楽団の演奏、親衛隊の行進がおこなわれた。内閣諸大臣、建築家、転向学者、宗教家、詩人などがつぎからつぎへと演壇に登場して残忍で愚劣な、けばけばしいロマンティシズムの香油を私たちの額にふりまいた。阿呆《あほう》どもは長城を空間と時間への挑戦であるといい、万世一系といい、蛮族打倒といった。宗教家は祈って祝福し、娘たちは踊り、全市民が広場のまわりで拍手合唱した。田園や冥界《めいかい》の神々の名が讃《たた》えられ、香が焚《た》かれた。これらのひとつひとつの儀式は形容詞の充満した誇大妄想狂《こだいもうそう》の文章のように群集と夜のかなたにとりとめもなく出没し、爆竹、銅鑼《どら》、吹奏楽が句や行の空白にきらびやかな光と響きを挿入《そうにゅう》したのである。

閲兵式は六日間にわたっておこなわれた。そのあいだ皇帝は一度も姿をあらわさなかった。大臣たちは演壇にのぼって蛮族への憎悪や国民への誠実や孤独の克服などを説いたが、誰ひとりとして皇帝の不在についてふれるものはなかった。すでに彼は絹と壁のなかに姿をかくし、少数の宦官をのぞくほかは誰のまえにも顔を見せないようになっていたのである。もし皇帝の姿をかいま見たものがあって、そのことを口にだすと、たちまち殺されてしまった。旅行するときは暖冷房装置のついた馬車の窓を固く閉ざし、沿道のすべての人間を追い払うか最敬礼させるかしたし、おびただしい数にのぼる阿房宮の離宮、別殿はすべて人目をさけるため両側に壁のある舗道か地下道で連絡されていた。あるとき皇帝と重臣のひとりが野にでると、たまたま重臣の護衛兵たちの儀仗《ぎじょう》のほうが皇帝のそれより数が多かった。それを見て皇帝は自尊心を傷つけられ、不機嫌になった。さっそく宦官のあるものがそのことを重臣に告げると、重臣はたちまち儀仗の数を減らした。すると皇帝はそれを見てその日の夕方に侍従全員を死刑にしてしまった、というのである。これは彼の強烈な傲慢《ごうまん》さを語るもので、咸陽の町の居酒屋のひそひそ話には似たような真偽さまざまの挿話がいくつとなく明滅出没していた。宮殿内では死について語ることが死刑をもって厳禁されているという事実をつたえ聞いたこともある。これらのことから推して人びとは海岸や未開地方へひっきりなしに派遣されている強精剤発見の医学部隊の事実とならべあわせ、皇帝の神経叢《そう》にしのびこんだ恐怖について語ることをつねとしていた。広大きわまりない宮殿のどこかで、死を世界に氾濫《はんらん》させた鳩胸の小男は肉の弱さと不浸透へのあくなき欲望の両極をさまよって子供のように息の音に耳をかたむけているというのだ。

私たちは広場の夜にあって皇帝や儀式や詩人からはるかに遠い存在であるべきはずだった。もともと私たちは長城や宮殿や北方遊牧民族とはなんの関係もない日常の衰弱者、商人や百姓にすぎないのだ。徴発されて以来の迫害は私たちをその薄暗く低くせまい肉のなかへ追いこんでしまった。どんな演説も私たちをそこからひきずりだす力をもたなかった。流刑囚たちは閲兵式のはじめの二日か三日は、自分たちにそそがれた上層者たちの感情の壮大さにとまどい、はじらい、困惑のまなざしを眼にたたえたのだ。しかし、六日六夜にわたるたえまない音楽と激情、身ぶり、演説、波のような祈り、これらの連続は、あの、夜に抵抗するかがり火にたいして抱かせられる快感とあいまってすっかり私たちを解除してしまった。私たちは主催者の技術的攻撃に抵抗するにはあまりに多数で、あまりに分散しすぎていたのだ。六日めのさいごの晩、私たちのあるものはついに酔って叫びはじめた。将軍や評論家や作家たちの呼びかけに応じて広場の群集はおずおずとたがいに眼をかわしあい、溶解の予感にはにかんだり、ためらったり、いらいらしたりしていたが、やがて叫声ははるかかなたの最前列部隊から発せられて暗がりのなかを体から体へ川のようにひろがりだしたのである。私のたっているところからは演壇はあまりに遠くて、人物の表情や動作はほとんど見えないといってよかった。しかし、壇上の男がゆるゆると両手を高くさしあげたとき、流刑囚たちはいっさいの拘束から解放されてしまった。暴風のような叫声が阿房宮をおそったのだ。私は背骨をゆるがす衝撃にたえられなかった。私は肉からはなれて、叫んだ。その瞬間、皇帝も宮殿も煽動者《せんどうしゃ》も、また、数知れぬ寡婦《かふ》や老人や塵芥《ごみた》溜めに群がる脹満腹《ちょうまんばら》の子供たち、いっさいが消えてしまった。私は自分の腹部や肩や額から揮発した自我が厖大な夜の群集のうえを蔽《おお》い、拡散してゆく快感にたえられなかった。

腋臭《わきが》と汗にまみれて額に穴をあけられた男たちは手を組んでひしめき、口ぐちに軍歌、労働歌、皇帝頌歌《しょうか》を合唱しだした。ふるえ、けいれんし、涙をうかべ、歯をむきだして合唱しながら私たちは壮大な錯覚のなかで祖国防衛と長城建設を誓いあって、踊り狂った。

四

幼時からの痼疾《こしつ》にもかかわらず皇帝は多情であった。彼は精液を右へ左へ気まぐれにふりまいて十六人の子供をつくった。そのおびただしい子供のなかで、彼は胡亥《こがい》をもっとも愛した。彼は死を恐れ、憎んでいたので、胡亥を嗣子にして二世皇帝にたてることを口にだしたことは一度もなかったが、側近者たちは胡亥を彼の後継者と考えた。しかし、胡亥は大秦帝国の支配者となるにはあまりに無個性、無気力で、快楽にたいする内在的な趣味におぼれきっていた。女と宦官にとりまかれて彼は衰弱しきっていた。それを見て、ある予言者は、皇帝に、秦を亡《ほろ》ぼすものは胡である、という主題を提出した。彼はその言葉で胡亥を暗示したつもりだったが、皇帝はこれを「胡族」と理解した。その結果、三〇万の遠征軍が派遣され、総動員令が下されたのである、という風評を私たちは幾度となく聞いた。それは皇帝の秘密主義やあらゆる弾圧政策にもかかわらず口から口へつたえられて人びとのなかにしみこんでいった。

しかし、なぜ長城が築かれたのかという疑問にたいしては、これは、あくまでもひとつの動機の意味しかもたない。たとえ予言者がいわなくても皇帝は長城建設を思いたち、そのためのあらゆる機会をとらえ、口実をでっちあげたことだろうと思われる。すでに見たようにこの防壁は北方に国境をもつあらゆる国の主題であった。過渡的な戦乱時代の燕《えん》、趙《ちょう》、斉《せい》、および統一以前の秦。これら四国はそれぞれ大陸の北方線を分割していたので、長城建築にはひとかたならぬ精力を費した。王たちは諸侯や地方的英雄の叛乱《はんらん》をたえず弾圧しながら隣国と抗争し、かつそのいっぽうで匈奴《きょうど》にたちむかわねばならなかった。しかもその対匈奴戦はそれだけで優に一国の力を吸収するにたる長城建造という防衛戦と、さらに匈奴を駆逐してはるか中央アジア高原へ追放するという攻撃戦の両面作戦であったのだ。よく知られているように匈奴はその遊牧民族である性格から広大な砂漠と山岳地帯と北方平野をたえまなく移動し、およそ居住の定点というものをもたないため、つねに徹底的潰滅《かいめつ》をまぬがれていた。よほど彼らの性癖と地理にくわしい、老獪《ろうかい》で忍耐づよい戦略家ででもないかぎり、彼らの一集団全員を殺しつくすことは不可能であった。彼らはけっして死滅することのない力である。たえず荒野を流れて彼らは東西南北へ家畜とともに移動し、集団と集団はくっついたかと思うとはなれ、はなれたかと思うとくっつき、黙っていると風のように擦過してすべてを焼きつくし、殺戮《さつりく》強奪は酸鼻をきわめた。たいていの場合、来襲の情報に応援部隊がかけつければ蛮族の部隊はすでに去ってあとかたもなく、平野や峡谷には平和な牧人が家畜とともにねそべっているにすぎなかった。が、警戒がちょっとゆるんで、小隊が背をむけた瞬間、たちまちその牧人たちは笛を投げて匕首《あいくち》をぬき、家畜を暴走させて追撃者たちの背にとびかかり、腕や足の骨を膝《ひざ》でへし折った。彼らが戦士であるか牧人であるかはとうてい判断できることではなかった。彼らは黄土地帯の農耕定住民族とちがって力を分散させることなく、道徳、座標、屋根、壁に類するものをいっさい排斥した。ひとりの少年は牧童であって戦士、息子であって夫、指導者であって部下、兄妹であって恋人なのだ。父親が死ねば息子がただちに母親と結婚し、自分のでてきた膣《ちつ》に自分の男根をつらぬき、自分の生まれた子宮に精液を泡たて、放射して歓喜を叫びあうのだ。この、暗く苛烈な精力に充満した牡《おす》の群れとたたかって勝ったものはひとりもなかった。王たちは没落し、つねに長い廃墟《はいきょ》がのこった。

咸陽を出発した夜から長城到着の朝までの回顧ははぶくことにしよう。故郷の町から咸陽までの徒歩旅行とおなじように私たちはふたたび時間の囚人となった。予定の日、予定の人員。遅刻、欠員は死刑、流刑。加害者も被害者も等質の憎悪《ぞうお》でむすばれ、しかもその憎悪の行方は見失われ、たえがたくよどみながらなんの手をつけることもできない腐敗への下降だった。護衛兵たちは必死になって鞭《むち》をふりながらそれを私たちの体にあてることができず、私たちは彼らの運命をにぎりながらその力を行使することができず、将校から一兵卒にいたるまで全員がわけもわからず叫んだり、ののしったり、沈黙におちこんだりしながら夜となく昼となく街道を走りつづけたのである。皇帝と法は私たちの体のまわりに透明稀薄《きはく》な高山の空気となって存在し、人びとはたえまない窒息にさらされていた。ただ、上京のときの旅行とちがう点は、私たちが六日間の解除作業をうけたために、苦痛がふたたび私たちを肉の暗所へ追いこみはしたものの、蛮族への憎悪にむけてすべての胸苦しい衝動を集約することができるようになった、ということだけである。私たちは遊牧民族についてなにも知らない。しかし、あの夜のヒステリーは私たちに熱く大きく固いものをあたえてくれたのである。私たちは憲兵や疲労や飢や恐怖、屈辱など、すべてのものに浸透される。が、たったひとつ蛮族については私たちは皇帝と同質の衝動に体をゆだねることができるようになったのだ。

長城の全規模を私たちは知らない。それは過去の諸王の遺産を補修改築し、切れた部分をつなぎあわせ、臨洮《りんとう》から遼東《りょうとう》におよぶはずである。しかし、工事にたずさわった人間の誰ひとりとしてその起点と終点を目撃して全道程を理解したものはいないのだ。労働部隊を匈奴の奇襲から守るために蒙恬将軍は莫大《ばくだい》な数にのぼる辺境防衛軍を動員し、長城の建設予定線にそって兵士を配分、駐屯させたが、それでもなお匈奴追撃の野戦に大部隊の勢力をさかなければならないため、守備はつねに小人数で、つよい防禦線《ぼうぎょ》を蛮族の駿馬《しゅんめ》にたいしてひくことができなかった。匈奴の額せまく兇暴《きょうぼう》剽悍《ひょうかん》な戦士たちはしばしば駐屯所と労働部隊の天幕村に夜襲をかけて闇夜に利《き》く猫のような眼を駆使して虐殺《ぎゃくさつ》をほしいままにした。長城の規模がいかに長大なものであったかを説明するためには、そのようなゲリラによって潰滅した駐屯部隊の情報が事件発生後二年たってからようやく派出所、それも中央企画部よりはるかに遠い、まったく渺《びょう》たる点にひとしい派出所に到達したという一事をあげるだけでたくさんだろう。蒙恬将軍は全防衛軍と労働部隊を管理する。彼はこの事業の最高責任者である。おそらく長城の像を描くことにおいて彼をしのぐものはひとりもいないだろう。私たちの質問に応じて彼は数字と地名のおびただしい列挙のうえに長城を築いてみせるだろう。その事業が人類のかつて企ておよばなかった地平線の創造であることを私たちは理解する。長城はまさに隆起せる地平線なのだ。しかし、同時に私たちは確信して疑わないのだ。その蒙恬将軍すらも、長城の意味の理解においてはなお夫役人の私たちとまったくかわることがないはずである。

長城の建築技術を説明すれば首をかしげられるにちがいない。なぜなら、これほどの有史以来の企図が、あの私の故郷の町の城壁とまったくおなじシステムによって運営されていたからである。そのシステムは私たちより数代あるいは十数代まえに発明されたもので、それをそのまま岩砂漠のなかに適用しようというのである。時代は武器の効率の増大に知力をかたむけはしたが、建築技術についてはほとんど停滞状態がつづいていたといってもよいのだ。ただしこれは城壁建造についてのみいえることである。別種の技術はその結晶をあなたは阿房宮に見いだされるだろう。が、いまは長城について語ることにとどめておきたい。長城に関するかぎり、それはまったく私たちの幼稚さの愚劣きわまる拡大にすぎなかったのである。私たちは町の城壁を築くときとまったくおなじように黄土をねり、日乾《ひぼ》し煉瓦《れんが》をつくり、それを営々として砂漠のただなかに一箇ずつつみあげていったのだ。あるいはこのシステムによって皇帝は全従業員に帝国がその版図の広大無際限さにもかかわらずなおひとつの町にすぎず、それ以外のなにものでもないのだという連帯感覚が発生することを期待したのだという説が生まれるかもしれない。宮殿前広場のけばけばしい演説者たちは孤独の克服を私たちに説くにあたってそういった。六日めのさいごの夜の私たちのヒステリーと首都から辺境までの長距離行進の苦痛をささえた、私たちの、外を志向するただひとつの憎悪、こうしたものはピタリとそれをさし、それに呼応している。しかし、長城の予定線のあちらこちらに労働部隊が配分されて、いざ仕事にとりかかってみれば、何ヵ月もたたないうちにたちまちこの説の迷妄がさらけだされた。

私たちはある王の遺跡の終ったところから出発することになった。このあたりはちょうど黄土地帯が終って、砂漠と山岳地帯のはじまろうとする地点であった。地平線のかなたまで見わたすかぎり砂礫《されき》の荒野がぼうぼうと広がっていた。灰色の密雲に閉ざされた空がぬかるみのように地平線にのしかかり、半砂漠の荒野がそのかなたから空が流れだしたようにおしよせてきた。酸性土壌の乾ききった土のしたを無数の岩脈がいらだたしげに這《は》いまわり、いたるところで巨大な、陰惨な脊椎《せきつい》が浮いたり、沈んだりしていた。颪は密雲の奥を流れて長いこだまをひびかせ、空のあちらこちらでは雲が切れて、雲層の断面がまるで無数の襞《ひだ》をもつ金属の崖《がけ》のように日光を浴びて輝いていた。北方鹿や野生馬の大群が、ときどき、この薄暗い空のしたを走ってゆくのが見えた。彼らは丘のかげに見えつかくれつ、あたかも砂漠そのものの移動のような蹄音をたてて何日にもわたって疾走していった。

王の遺跡の城壁が土に沈んだ地点から私たちの仕事ははじめられた。着工式にあたって、私たちは捕虜の匈奴を二人つれてくると、深い穴を定礎点に掘り、彼らの首を切りおとしてから穴の底に跪《ひざまず》かせ、首のかわりに青銅製の鼎《かなえ》を両手で捧《ささ》げもたせて土をかぶせた。遊牧民はこうしてついに理由を知ることなく長壁の全重量を永久に支えることとなったのである。私たちの受持区域は黄土地帯からへだたっているので、土や日乾し煉瓦をはこぶために牛車の隊が現場とはるか遠方の辺境の町を往復した。私たちは苦心惨憺《さんたん》して粘土を掘り、岩をつらぬいて井戸をつくると、牛車のもってくる黄土をおろして水でねり、木枠にはめて陽に乾かし、できた煉瓦を一箇ずつつみあげた。長城がのろのろと荒野を這って丘につきあたると、煉瓦は馬や牛の背で丘のうえにはこびあげられ、崖があればそのまま崖を壁に利用した。私たちの目的はとぎれとぎれになっている遺跡をつなぎあわせることであって、遺跡の城壁そのものの改修は後続部隊がやってくれることになっていた。しかし、荒野は東西南北見晴らすかぎりただ岩と砂ばかりで、進路の目標になるものはなにもなかった。そこで現場監督は作業を指揮するかたわらしじゅう太陽と星に進路の指示を仰いだ。私たちはこの単純きわまる作業を無数の小部分に分解した。黄土をおろすものは黄土をおろし、水を汲《く》むものは水を汲み、煉瓦をはこぶものはひたすら煉瓦をはこんで、いっさいそれからさき自分の力がどう連結して流れ高まってゆくかということについて他人の仕事に関心をもったり、干渉したりすることを禁じられた。もちろん労働意識の新陳代謝を計るために仕事の交替はしじゅうおこなわれ、運搬係が製造係に、製造係が建築係になり、各人がひととおり作業の全部分を経験するような仕組にはなっていた。しかし、ひとつの部分が他の部分と独立的に排除しあうという方式はぜったいにかわることがなかった。ただこの方式によってのみ長城は築き得られるはずであった。そしてこのこと自体が私たちに長城へのいっさいの信頼を失わせる結果となったのだ。

私たちは岩砂漠のなかに天幕村をつくって寝泊りし、長城がのびるにしたがってつぎつぎそれにそって天幕を移動させた。一日は点呼にはじまって点呼に終り、食事は炊事班が現場へはこんできてくれた。朝、天幕からぼろぼろの作業衣にくるまってでるとき、軽快な日光を全身に浴びて私たちはかつて故郷の田舎町の夜のなかで感じたのとおなじように家具さながらの確信を体におぼえた。私は重い肩と背骨のきしみを愛する。毎日がまったくただのくりかえしにすぎないことを知りぬいていながら、朝はじめて道具や煉瓦をかつぐとき、ズシリと肉から骨へしみとおるその重量には新鮮な予感と意味が感じられる。私たちはたがいに楽しげな悲鳴をかわしあいながら隊伍をつくって荒野へ入っていった。しかし、午後三時をすぎるころになると、私たちは飛散して木片となってしまうのだ。苦痛はきまって午後三時すぎにやってきた。私たちはその到来をはるかまえから予感し、準備姿勢をこころのなかにととのえているが、いつも肉はとつぜんの襲撃に、何度くりかえされても慣れることのできない新鮮さをもって傷をひらいた。私たちは砂漠のなかを汗みどろになって煉瓦を背負い、乾燥場から建築現場へ、現場から乾燥場へとたゆみない往復をつづけた。が、まわりの空気の圧力がとつぜん異常に高まるか、稀薄になって、苦痛が背骨の穴のなかでひらく瞬間、時間はとつぜん体からゆるみほどけて水のように拡散するのを感ずるのだ。私は顎《あご》をおとす。全身から力がぬけ、足がふるえる。監督の叫び。足音。鞭のうなり。皮膚のうえに泡だつ日光。踵《きびす》に迫ってくるうしろの男のあえぎ。これらのものはいっさい響きであり熱さであり、しめっぽい匂《にお》いにすぎず、なんの効率も関係ももたないのだ。あたりにはかさばった、陰惨で、露骨な、物の群れがあるばかりだ。皇帝、将軍、蛮族、けたたましい煽動屋《せんどうや》たち、すべては影なのだ。この岩砂漠の午後のなかで彼らは一本の枯草の意味ももたない。汗に浸って酸敗した筋肉のふるえるなかで私はいたるところに長城を見いだす。官吏は竹屑《たけくず》に埋もれていた。憲兵は綱をもって走っていた。夫役人は手斧《ておの》をもって這っていた。額に穴をあける医者。メスをとぐ男。執行課員。兵士と将校。これらすべてのうえから皇帝は去っていた。煽動家たちは彼の名をかりて私たちに憎悪の目標をあたえ、蛮族を見ないで蛮族を憎む、ただそのことの熱さ、固さにたよることによってのみ私たちを咸陽から砂漠まで歩かせた。が、それはついにそれだけの射程で終ってしまったのだ。私は煉瓦の重量のしたでおしひしがれ、日光にギラギラ反射する岩と砂のひろがりのなかに埋没した……

長城が匈奴の脳皮にどんな線や溝《みぞ》をひいたか、私には疑問に思えてならない。荒野に到着してしばらくのあいだ、私たちは作業場のはるかかなたを羊の大群とともに移動していく裸馬にまたがった遊牧民の集団を見かけたが、守備兵たちがそのたびに襲撃して老幼男女を選ぶことなく羊の群れとともに惨殺《ざんさつ》したので、やがて情報が知れわたると、彼らは姿を見せなくなった。しかし、これはあくまでも白昼の視界に登場しないというだけであって、夜になると荒野の主権は彼らに移った。彼らは暗闇のなかを小集団をつくって駈けまわり、兵士や夫役人たちをほしいままに殺し、天幕を焼き、穀物を盗み、馬を奪った。彼らの野戦術は高度に発達し、局地戦や城郭戦になじんで塀や壁などの障碍物《しょうがいぶつ》の利用で力を節約して効果をあげることに腐心してきた私たちの農民出身の兵士を完全に翻弄《ほんろう》した。私たちは彼らの接近の気配をまったくさとることができないのだ。彼らは拳《こぶし》ほどの石かげに全身をかくして匍匐《ほふく》することができ、音もなくしなやかに跳躍して哨兵《しょうへい》をたおし、天幕に火矢をうちこんだ。たとえ狼火《のろし》が望楼にあがっても、彼らは援軍が到着するよりはるかに速く殺して疾過した。兵士たちはどうしてよいかわからずに、やがて、彼らがくるのを防ごうとするよりは去ったあとを追うことのほうに腐心するようになった。私たちは毎日くたくたに疲れきって仕事から帰ってくると天幕村や駐屯所のまわりの荒地を箒《ほうき》で掃かされた。兵士たちはかがり火をたいて終夜歩哨をやった。私たちは一歩ずつ後退して自分の足跡を消しつつ天幕村にもどり、兵士たちはほとんどうごかないか、たとえうごいても彼らの靴跡はわかっているので、朝になると馬にのって砂に匈奴の足跡や蹄跡がのこっていないかどうか調べにでかけた。私たちが襲われなくても匈奴たちはいつのまにか天幕にちかづき、かがり火のすぐそばまでしのびよっていることはしばしばあって、兵士たちは昨夜自分の背のすぐうしろに匕首《あいくち》が迫っていたことを朝になって発見して蒼《あお》ざめた。彼らは砂の足跡を追って捜索にでかけたが、いつも私たちの視界の範囲内だけを調べてもどってきた。たとえ姿は見えなくても匈奴の戦士は荒地のどんな岩かげにひそんでいるかわからないのだ。深追いした兵士は単騎であろうと、小隊であろうと、きっと重傷を負うか全滅するかした。私たちは城壁を築くとき、かならず間隔をおいて望楼をつくり、その望楼に守備兵の一隊をのこしてからつぎの工事にさしかかるのだが、匈奴はしばしばこの後衛隊をみなごろしにして城壁をのりこえた。匈奴の居住地帯もまた広漠として限界を知らないのだ。私たちは城壁を中心にする視界から彼らの家畜群を追いだすことに一応は成功したかも知れないが、戦士はあいかわらず昼となく夜となく私たちを監視している。ときに彼らは示威のために城壁の内側の、私たちの領土の荒野を白昼ゆうゆうと、しかも黄土地帯へむかって馬を走らせてゆく姿を見せつけたりするし、またときには後部地区からの牛馬の輸送隊を私たちの視野のなかで襲撃することもある。

　これらのことから推しても私たちの結論はたったひとつしかでてこないのだ。万里の長城は完全な徒労である。それはあきらかに私の故郷の町の城壁とおなじように防禦物としての機能を完全に欠いている。風にむかって塀をたてて風が消えたと信じたがっているのだ。しかも、田舎町の城壁にたったひとつの意味をあたえていた、あの、すべての価値に先行して私たちを夜のなかに発散拡張させる共同作業の感覚が、この北方の長城にはまったく失われているのだ。ここでは人びとは厖大《ぼうだい》な拡大力のなかでの点であり、あくまでも点にとどまり、ついに結合して円をつくることのない、ただの肉片にすぎないのだ。私たちは砂漠と黄土と乖離《かいり》感覚を相手に息もたえだえな苦闘をつづけたあげくにやっとのことで築きあげた城壁の内側をいつのまに侵入したのか匈奴の戦士が日光を浴びてゆうゆうと馬を走らせてゆく光景を目撃して深い疑いの衝動におそわれた。彼らにむかってなぜ国境を主張する必要があるのだろう。彼らこそは私たちの硬直して手のつけられぬ衰弱におちこんだ文明への新鮮な衝撃力なのではあるまいか……

荒野では飢えと危機が慢性化した。このことについて私たちはとくに自分の立場の苦しさを誇示しようとは思わない。動員令が発布されて以来、事情は大陸のあらゆる町や村でもおなじことだし、さらにそれに加えて重労働ということについてなら、首都の道路や宮殿のうえを這いまわっていた、おびただしい労働者の魚のような眼を思えば、なにもいえなくなる。私たちはふたたび孤独や絶望について誰ひとりとして特権のもてなくなった時代にいるのだ。時代はかつて過去のどんな日にもなかったような力にみちている。始皇帝は彼以前のどんな王や将軍も思いつかなかった制度を発明して力を全土から吸収することに成功した。宮殿、軍用道路、夜の大歓送会などに私たちはそれをみとめる。これほど私たちが力にみちていようとは誰も夢想できないことであった。が、それにもかかわらず、人びとはそれほど力にみちているにもかかわらず、自分がどこをめざし、なにをしようとしているのかわからないでいるのだ。荒野の作業は私たちに梃子《てこ》一本の意味すらも見失わせてしまう。壁が高くなったり、のびたりするのは午前中だけだ。午前中、私たちは体内にいくらかの圧力を感じて砂漠と空にたちむかう。黄土をねり、煉瓦を吊《つ》りあげる。梃子や綱に友情をおぼえる。しかし、あの、午後三時すぎの発作は私たちを肉の空樽《あきだる》にかえてしまうのだ。長城がその長大な規模とすさまじい重量をもって私たちに意味を理解させてくれるのはその一瞬である。透明な打撃をうけて内圧が零におちるとき、私は煉瓦のしたでよろめきながら前後左右のすべての労働者がひとしくうめき声をもらすのを聞く。うめきは体から体へ、道具から道具へひろがり、しみわたり、一瞬、空のしたに巨大な、うつろな宮殿をつくりあげてから砂のひろがりのなかへ飛散してゆくのだ。眼も口もあけていられなくなって私は煉瓦をおとした。

飢えはさきに見たように匈奴の戦士が牛車隊をおそうために起った。ときたまの獣群をのぞいて荒野のなかで食えるものはなにもなかったので、私たちは食糧をはるか後方の黄土地帯の辺境町から牛車で送られてくるものにたよるよりしかたなかった。私たちの地点はまったく砂と岩の半砂漠で、匈奴の家畜群と部落民が守備兵におそわれて逃走した理由は、ひょっとすると私たちをおそれるというよりはむしろ土地の不毛性にあるのかもしれなかった。ここには牧草もろくに生えていないのだ。ここが匈奴の領域に属することはあきらかだが、私たちの守備兵が殺戮《さつりく》したのはほとんどが家畜群をつれた移動中にたまたまそこに野宿、仮泊していた匈奴であって、彼らにとってこの土地はなんの意味ももたないのだ。蛮族すら見捨ててしまったような廃地、おそらく岩層の芯《しん》の芯までひからびてこわばった、まるで土のかさぶたとでもいうよりしかたのないような土地に私たちはしがみついているわけだ。牛車隊はこの岩砂漠のなかを食糧や器具や黄土をつんで毎日やってきた。彼らは騎兵隊に護衛されながら長蛇の列をつくってのろのろときしみをたてつつやってきたが、匈奴の遊撃隊は岩かげにかくれてはるか遠くを牛車に平行して移動し、隙《すき》さえあれば夜昼を問わずおそいかかった。彼らの馬は耕地で育った騎兵隊の馬よりはるかに耐久力と脚力にめぐまれているうえ、騎兵とちがって毛皮のほかにはほとんど武具らしいものをなにもつけていないという身軽さであり、しかも刀や槍《やり》や弓などの性能は騎兵のそれとまったくおなじである。どんな槍騎兵も匈奴のまえでは鈍重きわまる鎧《よろい》人形でしかなかった。匈奴は堰《せき》の水をきるように騎兵隊を荒野のあちらこちらへ誘導、分散させてから、牛車におそいかかって掠奪《りゃくだつ》、殺戮をほしいままにした。彼らは騎兵の足に綱をしばりつけて二頭の馬に鞭《むち》うってひき裂かせ、眼を指でえぐりだし、腕をなんの刃物も使わないで皮膚ごとひきちぎった。しかし、私たちは彼らの嗜虐《しぎゃく》趣味を憎悪の口実につかうにはあまりにも咸陽の町の辻で変形をうけた人体を見すぎているのだ。のみならず、私たちの兵士も彼らをつかまえればまったくおなじことを薄暗い空のしたでやったのだ。

牛車が来なくなると私たちはたちまち飢えた。人びとは天幕のなかによこたわり、咸陽の町で長城への出発の日を待ちながらふけったのとおなじさまざまな愚行に、さまざまな反応をしめした。賭博《とばく》。手淫《しゅいん》。同性愛。猥談《わいだん》。殺人。私たちは垢《あか》と精液にまみれてひとかけらの餅《もち》や野菜屑のために全身の力をふるって殴りあい、殺しあった。守備兵たちは叛乱《はんらん》をおそれて私たちからおよそ武器になるようなものならなんでもかんでも没収し、縄帯とぼろをのぞけばほとんど全裸にひとしい恰好《かっこう》にしてしまっていたので、私たちのあいだで起る事故死はたいてい打撲傷や窒息が原因であった。ときには工事現場の崖からとんだり、荒野のなかへ逃走したりするものもあった。崖から墜死したものはそのままだが、逃走者は守備兵が馬で追いかけ、捕えるとその場で惨殺した。たまに守備兵からのがれることができたものは匈奴をおそれて深追いされなかったからであるが、やがてはのたれ死するにちがいなかった。食糧もたずに徒歩で通過するには砂漠はあまりにも広すぎ、町はあまりにも遠すぎるのだ。のみならず、たとえ匈奴の気まぐれによって町にたどりつくことができたとしても、彼は額のいれずみによってたちまちそこで死刑にされるだろう。

あらゆる点から見て私たちは退路を断たれているのだ。私たちはこの時代とそのいっさいの属性からまぬがれることができない。私たちは岩砂漠のなかにいる。ある人びとは書類の山積した部屋のなかにいる。女は壁のなかで戸のノックを待っている。寡婦《かふ》のような町があり、塵芥溜《ごみた》めのような村がある。すでに皇帝はいないのだ。彼はいっさいの場所と現象から去ったのだ。皇帝を憎む人は守備兵を憎むのとおなじ過《あやま》ちをおかすのではないだろうか。皇帝はいっさいの人びとを上下縦横にたがいに隷属《れいぞく》させる方法をつくりあげた瞬間に消えてしまったのだ。私はいずれ叛乱が起ることを信じてやまない。皇帝の死までにかならずそれは起るだろう。どれくらいの出血と骨折がそのために起るのか、まったく見当がつかない。しかし、かならず叛乱は起るのだ。ある人びとは反抗のために反抗し、もっとも距離のみじかい目標をつくって力をそそぎ、生きた、というかもしれない。ある人びとは棒をまえにつきだして闇のなかをひたすらがむしゃらに走りつづけてぶつかったものがあればその衝撃だけを信じて、生きた、といって死ぬかもしれない。あるいは、もっと力のある、またはもっと力のない、しかしもっと力を有効に使いたいと思う人は距離は遠いが確信のある目標をたて、それにむかってときには速く、ときには遅い足どりで歩いてゆくだろう。その目標がなにか、私にはわからない。私はこの時代がどちらをむいているのかわからない。が、皇帝打倒はおそらくその目標の最たるもののひとつだ。岩砂漠、官庁、刑場、書店、露地裏、いたるところで人びとは目くばせや、ささやきから出発してやがてあらゆる細流を集めた大河となるだろう。私たちは現在の停滞にはとうてい耐えられないのだ。皇帝の自然死までの期間、この川はぜったい地表に出現しない。いまの警察網は完璧《かんぺき》である。性急な野心家の地方的叛乱はあちらこちら腫物《はれもの》のようにあらわれるかもしれないし、脱走者や青年たちは彼に利用されるかもしれない。しかし、皇帝が死ぬまでは警察と軍隊を味方にすることはぜったい不可能なのだ。洪水の出現はおそらく皇帝の死後である。暗殺であれ、自然死であれ、彼の死が、とにかく、最大の契機だ。

しかし、私は、長城が始皇帝の死によって消えるとは、とうてい思えないのである。私たちは彼によって教えられてしまったのだ。つぎにどんな男がカーテンの花蕊《かずい》の部屋のなかに入ろうとも、逃げることはできない。ふたたび彼が万世一系を宣言しようと、あるいは主権在民を宣言しようと、彼は始皇帝からまぬがれることはできないのだ。彼のやることは長城の延長工事である。粘土製の長い、重い建造物のことだけではない。馬車の乗客、登記所の役人、衛生局の医者。長城はいたるところにあるのだ。この方式によらないで人びとを支配することはできないのである。彼はつぎからつぎへと大量の夫役人をつくりだし、系を無数に割って配分するよりほかに方法がないのだ。始皇帝打倒は人びとにさまざまなひびきを起させ、この圧制下にあって衝動を制したり、高めたりするだろうが、そのあとにくるもののことを考えあわせれば、なお、あの暗闇の走者と大差ない程度の、距離のみじかすぎる目標である。その目標は私にもハッキリ見えているのだ。これにちかづくことはきわめて肉体的であり、容易なのだ。しかし、そこにちかづこうとする努力は本質においてついに一揆《いっき》にすぎないのではないだろうか。しかもつぎにどんな男を部屋に入れてやり、支持してやっても、ついに長城の消えることがないものとすれば、私たちのやることはつねに一揆のくりかえしにすぎないのだろうか。あるいは、それとも、すでに意味はその一揆のくりかえしそのものにしかないのだろうか。考えられるかぎりの道は、いまの私には、ひとつしかない。誰ひとりとしてなんのためかわからず、どこをめざしているのかもわからない、この厖大な徒労からまぬがれるには、ただひとつ、匈奴となるよりほかに私は知らないのだ。彼らが額に殺戮者のいれずみをもつ私を入れてくれるかどうかはやってみるよりほかにわかりようのないことだ。おそらく彼らが黄土地帯へ侵入すれば、人びとは壁とドアをひらくよりほかに方法を知らないだろう。彼らの異様に暗く苛烈《かれつ》な、方向は知らないがしかし奔放な速度にみちた力は黄土地帯の奥深くまでつきささって肉をふるわせるにちがいない。彼らこそは長城を必要としない唯一《ゆいいつ》の種族である。私は彼らが脂肪ゆたかな娼婦《しょうふ》のような地帯に住みついていつまで政府をもたずその力をふるいつづけられるか知らない。が、私たちの時代はもう久しく新鮮な上昇力に接していないのだ。私たちは彼らによってこそ蘇生《そせい》しなければならないのだ。煉瓦をおろし、砂漠へ行こう。

（「中央公論」文芸特集号、昭和三十四年一月）

解　説

佐々木基一

『パニック』を書きはじめた頃の開高健には、何かただならぬ気配が感じられた。彼の目のなかには、山火事のようなすさまじい炎が燃え上がり、頬は熱気でほてっていた。まるで何かに憑《つ》かれたみたいに、彼は笹《ささ》の実とネズミの繁殖について喋《しゃべ》り、小説のプランを語った。

その前、開高健はしばらく小説から遠ざかっていた。大阪から上京して、郊外に居をかまえ、P・R雑誌『洋酒天国』の編集に携っていた頃で、彼はその宣伝の仕事にすっかり情熱をうちこんでいるようにみえた。文学青年くさい野望はきれいさっぱり捨て去って、日本でもっとも古い歴史をもつ洋酒会社の宣伝係りとしての仕事に限りない興味を抱いている風でもあった。彼は文学についてよりも、むしろ写真やデザインについて語ることが多くなっていた。

それだけに、眸《ひとみ》を輝かせ、頬をほてらせ、体に似合わぬ大きな声で、小説のプランを語って飽きることを知らない開高健の饒舌《じょうぜつ》は、わたしをちょっと驚かした。久しく鳴りを鎮《しず》めていた火山が、再び爆発を前触れする鳴動をはじめたのにちがいなかった。やはり火は消えていなかったのだ。それはそうにちがいないのだが、ひょっとしたら躁鬱症《そううつしょう》患者かも知れない、という疑いがわたしの頭を掠《かす》めたのも事実である。それほど熱に浮かされたような喋りぶりだった。

そうして書き上げられた作品が『パニック』である。この題名はいかにも開高健の情熱の発作にふさわしい。泰山鳴動《たいざんめいどう》してネズミ一匹という諺《ことわざ》とは反対に、ネズミの大群が文字通り人間世界をパニック状態におとし入れる。或《あ》る年の秋、或る地方で、一二〇年に一度花を開き、実をむすぶといわれる笹の実がなった。ネズミの大群がこの実をめざして集まった。雪に蔽《おお》われた広大な笹原の下で、ネズミはたえ間なく仔《こ》を産み続け、尨大《ぼうだい》な数に繁殖していった。が、地下に蓄積されたネズミのエネルギーは、まだ深い雪に蔽われて誰の目にもつかなかった。やがて春の到来とともに、食料不足となったネズミの大群は地下の穴から、野に街にあふれ出て大恐慌《だいきょうこう》を起こすことになるのだが、開高健の内部に蓄積された創作のエネルギーが、堰《せき》を切って奔出するその速度とぴったり対応する具合に、このネズミ騒動はだんだん大きくひろがってゆくのである。雪ダルマ式にふくらんでゆくその過程の叙述のなかに、わたしはまがいもなく作者のエネルギーを感じとることができた。『パニック』という小説の独創性と力は、もっぱらその点にかかっているように、わたしには思える。

『パニック』は一篇の現代寓話《ぐうわ》であるが、しかし、だからといってすぐにカミュの『ペスト』を引き合いに出す必要はない。この作品は『ペスト』のミニアチュアでもなければ、当節流行の組織と人間論の絵解きでもない。『パニック』の新鮮さは、かって巨大なエネルギーの物理的運動にたいして覚える作者の戦慄《せんりつ》に似た感動にあると云《い》っていい。ネズミの大群が一直線に走って、高原の湖のなかにまっしぐらに飛びこむ壮大な光景を目《ま》のあたりにみたときの主人公の感動こそ、まさしく『パニック』の製作モチーフにほかならないだろう。

「俊介は靴底を水に洗われ、寒さにふるえながらこの光景を眺めていた。朝もやにとざされた薄明の沖からはつぎつぎと消えてゆく小動物の悲鳴が聞えてきた。その声から彼の受けたものは巨大で新鮮な無力感だった。一万町歩の植栽林を全滅させ、六億円にのぼる被害をのこし、子供を食い殺し、屋根を剝《は》いだ力、ひとびとに中世の恐怖をよみがえらせ、貧困で腐敗した政治への不満をめざめさせ、指導者には偽善にみちた必死のトリックを考えさせた、その力がここではまったく不可解に濫費《らんぴ》されているのだ。」

読者がそこにどのような寓意を読みとろうと、それは読者の自由である。だが、作者の目の前には、その瞬間、先を争って水に飛びこむネズミの大洪水が本当に見えていたにちがいないし、作者はひたすらその光景だけを見つめながら、心を昂《たか》ぶらせていたに相違ない。だからすべてが終ったとき作者は次のように書くよりほかはなかったのだ。

「俊介は、新鮮な経験、新鮮なエネルギーが体を通過したあとできまって味わう虚脱感をおぼえた。」

これが、全エネルギーを作品のなかに放出し終えたあとの作者自身の虚脱感を云いあらわす言葉にほかならないことは、もはや説明を要しないだろう。『パニック』のリアリティは、ほかならぬ作者のこの内的エネルギーが、まず笹の実とネズミの繁殖という自然現象に転化され、ついでそれのおのずからなる発展として、社会不安という心理現象が生じ、さらに政治現象にまで拡大してゆく抜きさしならぬ過程に支えられている。それにくらべると、県庁の山林課に勤務する主人公俊介がときどきもらす、ピラミッド型の堅固な組織のなかでの処世に関する感慨などは、ほとんど取るに足りないたわごとのように思われる。

『裸の王様』では、作者は打算と偽善と虚栄と迎合にみちた社会のなかで、ほとんど圧殺されかかっている生命の救出を描いている。ネズミの群の巨大なエネルギーは、こんどはフンドシ一枚の裸の殿様を、松並木のある濠端《ほりばた》を背景にして描いた子供の、深層心理のなかに移されたわけである。このテーマは別に目新しくはない。北川民次の『絵を描く子供たち』や、羽仁進の同じ題名をもつ映画のなかに、類似のテーマを発見することはたやすい。しかし、ここでもまたこのテーマは一篇の現代寓話に昇華されている。そしてそのような寓話化が、再び、組織と人間とか、秩序と生命とかいった図式にあてはめて解釈される主な原因をなしているのだが、作者はおそらく、単純素朴に、それこそ文字通り単純素朴に、ただひたむきに、狂暴な野性への憧憬《どうけい》を語っているにすぎないように思われる。ただ、眠れる生命をよび覚された少年が、一枚の絵を描くほかにあのネズミのような活発な運動を起こさないため、作品はとば口で終っているような観を呈している。しかし、『パニック』と『裸の王様』を並べてみれば、外部の運動と内部の運動を描く二様のスタイルの根底に、同じ一つの志向が横たわっていることが直ちに感知されるだろう。つまり人力をもってしてはいかんともし難い不可抗の自然の暴威や、人間の自律性をすべて咬《か》み砕きつつ進む巨大なメカニズムの自転運動が内蔵する物理的エネルギーの物凄《ものすご》さに驚歎《きょうたん》し、戦慄し、感動すると同時に、開高健はまた、それらの非情なエネルギーによく対抗できる人間の生命をもとめてやまないのである。

もちろん、これまでのところ、開高健は人間的生命の回復を十分に力強く描くことに必ずしも成功していない。『裸の王様』の少年も、いくらか実験用動物めいて見えることを免《まぬか》れない。そのため、現代社会における人間疎外《そがい》の面が表立って、もっぱらいわゆる組織と人間論の文脈のなかで理解されるならわしになっている。とくに『巨人と玩具《がんぐ》』は製菓会社の宣伝競争という、マス・コミ時代のもっとも典型的なテーマを取りあげたため、モデルになった事実への依存度が強く、寓話への昇華が不十分だが、それがかえって時流に投じる結果となって、組織と人間論のモデル作品と見なされるにいたった。いかなる文学作品も誤読の災厄を免れることはできないが、『巨人と玩具』には、実際に、図式的に解釈されても仕方のない弱点があった。ここでは作者および作中の私が、はじめからいわば心理的亡命者の立場にあって、対象の運動に刻々と高まる加速度を賦与《ふよ》することに成功していない。もし作者が、貧弱なファニイ・フェイスの娘から一躍スターにのし上がる少女の行跡を、『パニック』でネズミのエネルギーに驚歎したのと同程度の畏怖《いふ》と感動をもって追跡し、一少女の野望がマス・コミ社会に巻き起こす波紋を、文字通り現代寓話として描き出したなら、『巨人と玩具』はまがいもなく典型的な現代小説になりえたのではなかろうか。

「組織のなかの人間」という認識は、戦前派の文学者にとっては、いわゆる大衆化現象とともに私小説および旧文壇の崩壊が決定的になった危機感のなかからうまれたものである。

「伊藤整の『組織と人間』は横光利一にはじまる昭和新文学の帰結点であると同時に、それは今後の文学動向を卜《ぼく》すべきひとつの出発点でもある。……『組織のなかの人間』というかつての逃亡奴隷《どれい》が思ってもみなかった運命にまず着目すること、それ以外に私どもの生きぬく道はあるまい。ここに戦後十年の一関門がうちたてられたと断ずる所以《ゆえん》である。」

　と平野謙が書いたのは一九五五年だった。旧世代にとって一つの新しい発見であったこの認識は、しかし、開高健のような戦後世代には自明の前提だったのではなかろうか。だからこそ、開高健は旧世代にとってはたんに恐怖と不安とペシミズムの対象でしかないそうした新しい現象に、戦慄に似た好奇の目をもって近づいてゆくことができたのではないか。『流亡記』を読む人は、秦《しん》の始皇帝《しこうてい》の即位とともにはじまった規格と能率をめざす諸改革、また皇帝がちょっと身振いすれば、ただちに連鎖反応を起こして商店や工場や村にひびいてゆく制度の網の目の完成、そして能率一点ばりの非情なメカニズムの運動を、作者は畏怖に似た讃歎《さんたん》をもって綿々と記述していることに気づくだろう。そして長城建設という厖大な徒労にたいする新鮮な衝撃力として北方匈奴《きょうど》のエネルギーを望見することとの矛盾を、いぶかしく思うかも知れない。何故《なぜ》なら作者のエネルギーは、秦帝国の圧制的な、それでいて無目的な、エネルギーにみちあふれた厖大な徒労の記述にもっぱら注がれているからだ。開高健が、大阪造兵廠《ぞうへいしょう》の焼跡にたむろする「アパッチ」の群落に限りない興味をもち（「日本三文オペラ」）、あるいはナチスの厖大な徒労に関心するのも、これと別の動機からではあるまい。

開高健は典型的な現代の作家である。自分のいま立っている現代について深く思いをいたし、そこにたえず自己の課題を発見し、さらに現代を過去と未来にわたる展望《パースペクチーフ》のなかに定着しようとしている点において、典型的な現代の作家である。しかし、組織と人間の物理的運動に内蔵された恐るべきエネルギーを、たじろがず見つめるその強靭《きょうじん》な視力と、貪婪《どんらん》かつ潑剌《はつらつ》たる好奇心は、彼がまた未来の作家になりうる可能性を予告しているようにも思われる。

（昭和三十五年六月、文芸評論家）

「パニック」「巨人と玩具」「裸の王様」は文藝春秋新社刊『裸の王様』(昭和三十三年三月)、「流亡記」は中央公論社刊『屋根裏の独白』(昭和三十四年八月)にそれぞれ収められた。

表記について

新潮文庫の文字表記については、原文を尊重するという見地に立ち、次のように方針を定めました。

一、旧仮名づかいで書かれた口語文の作品は、新仮名づかいに改める。
二、文語文の作品は旧仮名づかいのままとする。
三、旧字体で書かれているものは、原則として新字体に改める。
四、難読と思われる語には振仮名をつける。

なお本作品集中には、今日の観点からみると差別的表現ととられかねない箇所が散見しますが、著者自身に差別的意図はなく、作品自体のもつ文学性ならびに芸術性、また著者がすでに故人であるという事情に鑑《かんが》み、原文どおりとしました。

（新潮文庫編集部）

パニック・裸《はだか》の王《おう》様《さま》

新潮文庫　か-5-1

昭和三十五年六月二十五日 発行
平成二十二年四月二十日 七十六刷改版
令和四年六月二十五日 八十四刷

著者 開《かい》高《こう》健《たけし》
発行者 佐藤隆信
発行所 株式会社 新潮社
郵便番号 一六二—八七一一
東京都新宿区矢来町七一
電話 編集部(〇三)三二六六—五四四〇
読者係(〇三)三二六六—五一一一
http://www.shinchosha.co.jp

価格はカバーに表示してあります。

乱丁・落丁本は、ご面倒ですが小社読者係宛ご送付ください。送料小社負担にてお取替えいたします。

印刷・株式会社光邦　製本・株式会社植木製本所

ISBN978-4-10-112801-6 C0193